España

Nueva edición

ACTUALIZACIÓN 2012

siglo XXI

Curso monográfico
sobre la España contemporánea

Sebastián Quesada Marco

edelsa

GRUPO DIDASCALIA, S.A.
Plaza Ciudad de Salta, 3 - 28043 MADRID - (ESPAÑA)
TEL.: (34) 914.165.511 - (34) 915.106.710
FAX: (34) 914.165.411
e-mail: edelsa@edelsa.es - www.edelsa.es

Primera edición: 2004
Primera reimpresión: 2005
Segunda edición: 2008
Tercera edición: 2012
Primera reimpresión: 2012

© Edelsa Grupo Didascalia S.A.
Autor: Sebastián Quesada
Dirección editorial: Departamento de Edición de Edelsa.
Diseño de cubierta y maquetación: Departamento de Imagen de Edelsa.

Imprenta: Egedsa.

ISBN: 978-84-7711-992-0
Depósito legal: B-4785-2012
Impreso en España.

Logotipos:
• Antena 3, Cadena COPE, Televisión Española: pág. 71.
• Chunta Aragonesista, Coalición Canaria, Convergència i Unió, Esquerra Republicana de Catalunya, Eusko Alkartasuna, Izquierda Unida, Los Verdes, Partido Nacionalista Vasco: pág. 28.
• Partido Popular: págs. 17, 28.
• Partido Socialista Obrero Español: págs. 15, 28.
• Confederación Nacional del Trabajo, Comisiones Obreras, Unión General de Trabajadores, Unión Sindical Obrera: pág. 29.
• Instituto Cervantes: pág. 35.
• Amnistía Internacional: pág. 51.
• General Motors España, Repsol YPF, Altadis, Renault, SEAT: pág. 64.
• Ave: pág. 68.

Fotografías:
. Cordon press: págs. 9, 14, 17.
. Casa Real española: págs. 8, 10, 16, 20, 21, 29, 58, 71, 102.
. Stock photos.

Nota:
- La actualización se ha realizado a partir de las últimas estadísticas publicadas.
- Cualquier forma de reproducción de esta obra solo puede ser realizada con la autorización de la editorial, salvo excepción prevista por la ley. Diríjase a CEDRO (Centro Español de Derechos Reprográficos, www.cedro.org) si necesita fotocopiar o escanear algún fragmento de esta obra

Este manual tiene como objetivo facilitar a los estudiantes de español el conocimiento de la realidad plural -sociedad, economía, política, arte, literatura, ciencia, costumbres, mentalidades, problemas, etc.- de la España contemporánea. La imagen del país que aquí se ofrece es la actual, la reflejada y transmitida por los medios de comunicación, por las encuestas, por las publicaciones especializadas y por los analistas de la actualidad. Por tratarse de un manual de divulgación, no de un libro de tesis, se ha procurado simplificar la sintaxis y evitar los subjetivismos y los tecnicismos.

El autor

Índice

1 España

Plaza de España. Sevilla.   La Alhambra. Granada   Monasterio de Guadalupe. Cáceres.   Monasterio de El Escorial. Madri

España está situada en el extremo suroccidental del continente europeo. Tiene una superficie total de 505.990 km², de los cuales el 97,55% corresponde al territorio peninsular; el 0,99%, al archipiélago mediterráneo de las islas Baleares; el 1,45%, al archipiélago atlántico de las islas Canarias y el 0,1% a las ciudades de Ceuta y Melilla, situadas en el norte de África. Es el tercer país más extenso de Europa y tiene fronteras con Francia, Portugal, Andorra y la colonia inglesa de Gibraltar. Ceuta y Melilla limitan con Marruecos.

- El territorio español presenta una gran diversidad natural.
- La mayor parte posee rasgos geográficos y clima mediterráneos; en la España verde, comprendida entre Galicia y el Pirineo oriental, predominan los oceánicos.
- La altitud media del relieve es muy alta, en torno a los 660 m.
- Madrid es la capital europea situada a mayor altura: 650,7 m.
- Las costas son rectilíneas, excepto en Galicia, lo que dificulta la penetración de la influencia marítima en el interior.
- El régimen de los ríos es irregular, a causa del clima y de las precipitaciones.

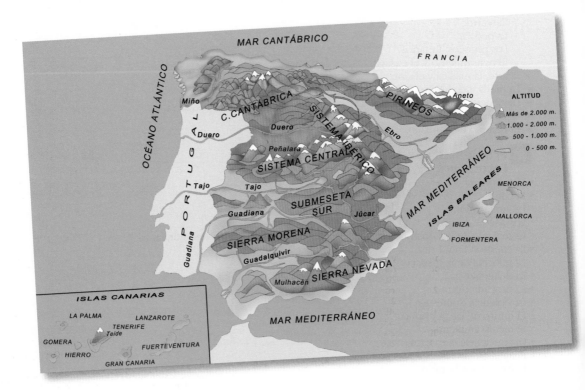

Vista panorámica

| País Vasco | Playa de la costa de Levante | Pueblo andaluz | Ciudad de las Artes y las Ciencias. Valencia |

Datos generales

Régimen político:	**Monarquía parlamentaria.**
Jefe del Estado:	**El rey D. Juan Carlos I de Borbón.**
Sistema de representación nacional:	**Cortes Generales, formadas por Congreso y Senado. Las elecciones generales se celebran cada cuatro años.**
Organización territorial del Estado:	**17 comunidades autónomas, 2 ciudades autónomas, –Ceuta y Melilla–, provincias y municipios.**
Capital:	**Madrid.**
Ciudades principales:	**Barcelona, Valencia, Sevilla, Zaragoza, Málaga, Murcia, Las Palmas de Gran Canaria, Palma de Mallorca, Bilbao.**
Moneda:	**Euro.**
Lenguas oficiales:	**Español o castellano (catalán, gallego y vasco son también oficiales en las respectivas comunidades autónomas).**
Religión:	**El 75,8% se declara católico, pero el número de practicantes apenas supera el 20%. Hay entre un millón y dos millones de protestantes, un millón doscientos mil musulmanes.**

Datos socioeconómicos

Población total de España: **45.200.737 (2007), 47.021.031 (2010).**
Población total prevista para 2021: **45.600.000.**
Densidad de población: **91,4 hab/km² (2008),** con mayores porcentajes en las costas que en el interior.
Distribución de la población por sexos (2007): **Mujeres: 50,58%.**
Hombres: 49,42%.
Distribución de la población por edades (2007):

Edad	%Población
0–14	14,34
15–29	19,74
30–44	25,30
45–59	18,92
60–74	13,53
75 y más	8,18

Esperanza de vida: **Mujeres: 83,5 años   Hombres: 77,7 años**
Tasa bruta de mortalidad cada 1.000 habitantes: **8,43.**
Mortalidad infantil cada 1.000 habitantes: **3,53.**
Médicos por 100.000 habitantes: **445.**
Número de abortos anuales: **101.592 (2006).**
Sectores de ocupación:

Servicios:	**72,4%.**
Industria:	**14,2%.**
Construcción:	**9,2%.**
Agricultura, minería, ganadería y pesca:	**4,2%.**

Tasa de población activa: **Hombres 67,95% Mujeres 52,05%.**
PIB por paridad de compra en 2010: **29.625 €.**
Renta anual por habitante: **23.300 euros (2007).**
Salario mínimo interprofesional: **2002: 442,20 €; 2003: 451,20 €; 2004: 460,50 €; 2005: 513,00 €; 2006: 540,90 €; 2007: 570,60 €; 2008: 600,00 €; 2009: 624,00 €; 2010: 633,30 €; 2011: 641,40 €**
Tasa de desempleo: **8,3% (2007), 21,52% (tercer trimestre 2011)**
Tasa de inflación: **2,5% (2001), 2,6% (2003), 4,2% (2007), 3% (tercer trimestre 2011).**
Número de cotizantes a la Seguridad Social: **17.474.201 (2011).**

Población extranjera

– España es el país europeo que más inmigrantes ha recibido en los últimos años.
– En el año 2000 vivían en España 923.879 extranjeros, el 2,28% de la población total.
– En el años 2010 vivían en España 5.651.000 extranjeros, el 12,3% de la población total.
– Comunidades autónomas con mayor proporción de inmigrantes: Baleares (18,4%), Comunidad Valenciana (14,9%), Madrid (14,1%), Cataluña (13,4%), Canarias (12,3%).
– El 44% de los inmigrantes censados se reparten entre Madrid, Barcelona y Alicante. El 15,3% de los habitantes de Barcelona y el 14% de Madrid son extranjeros.
Procedencia de los inmigrantes: rumanos; 11,8%; marroquíes: 11,4%; ecuatorianos: 7,4%.

(Fuentes: Instituto Nacional de Estadística (INE), Instituto Español de Comercio Exterior (ICEX), Banco de España, Centro de Investigaciones Sociológicas (CIS), *El País*).

Mundial de fútblo 2010   Juan Carlos I   Penélope Cruz   Rafael Nadal

Tiempos nuevos

MOVIMIENTO '15M
LA FUENTE
No somos mercancía en manos de políticos y banqueros

I ASAMBLEA CIUDADANA
8.JULIO.2011 · 20:00H. · PLAZA DE ESPAÑA

llamamos a la participación del pueblo

L@S INDIGNAD@S SOMOS TOD@S

SIN SIGLAS DE PARTIDOS NI SINDICATOS

Mariano Rajoy Brey | Cartel 15 M de los «Indignados» | Las 4 Torres. Madrid | Alfredo Pérez Rubalcaba

Foto de familia. Los reyes y los príncipes

- España posee una gran riqueza y variedad cultural, lingüística y artística. Cuenta con gran número de bienes declarados Patrimonio de la Humanidad por la UNESCO*.

- Es uno de los países con mayor esperanza de vida.

- Su economía se encuentra entre las quince más desarrolladas del mundo.

- Es la sexta potencia mundial por su nivel de inversiones en el exterior.

- Es el octavo contribuyente a la ONU*, el decimocuarto en la distribución equitativa de la riqueza y el octavo en PIB*.

- Está en vías de superar la crisis financiera desencadenada en 2008, de recuperar el equilibrio presupuestario, de aumentar el crecimiento económico y rebajar los índices de paro laboral.

- Es el tercer país más elegido por los estudiantes europeos que disfrutan de becas *Erasmus*.

- Ha pasado de ser un país emisor de emigrantes a receptor de inmigrantes.

- Exporta capitales y tecnología.

- Se encuentra entre los tres primeros países del mundo por el número de visitantes y de ingresos por turismo.

- Posee unas 8.000 especies de plantas y 60.000 de animales, lo que es un caso único en Europa. En su territorio se encuentran 27 de las 425 reservas de la biosfera que hay en el mundo.

*UNESCO: Organización de las Naciones Unidas para la Educación, la Ciencia y la Cultura.
*ONU: Organización de las Naciones Unidas.
*PIB: Producto Interior Bruto.
*UE: Unión Europea.

Foto cedida por S.A.R. Don Felipe de Borbón.

La familia de los príncipes de Asturias. S.A.R.* don Felipe de Borbón y S.A.R. doña Letizia Ortiz Rocasolano, y las infantas Leonor y Sofía.

*S.A.R.: Su Alteza Real

2 La Transición Democrática

Francisco Franco | Luis Carrero Blanco | Carlos Arias Navarro | El príncipe Juan Carlos | El rey Juan Carlos I

20 de noviembre de 1975

"Españoles, Franco ha muerto"

Anuncio de Arias Navarro. 20 Noviembre de 1975

La muerte del general Franco el 20 de noviembre de 1975 inauguró un periodo de incertidumbre política. El principal problema que se planteaba en ese momento era encontrar una fórmula, en el marco de la legalidad vigente, que permitiera la evolución pacífica hacia la democracia, que era reivindicada mayoritariamente por el pueblo español. La coyuntura económica, sin embargo, no favorecía el cambio. Desde 1960, la tasa de crecimiento era superior a la media de la Europa Occidental, pero a partir de la crisis del petróleo de 1973 dio comienzo una etapa de recesión que se tradujo en aumento del paro y de la inflación. Por otro lado, la muerte de Franco fue aprovechada por los grupos terroristas, sobre todo por ETA, para aumentar el número y la brutalidad de sus atentados. Tanto el terrorismo de extrema izquierda como el de extrema derecha coincidían en el objetivo de impedir la democratización del país. Sin embargo, a pesar de que las circunstancias de partida no eran las más propicias para el optimismo, la moderación ideológica del pueblo español, el apreciable desarrollo económico alcanzado y la hábil intervención del Rey y de los políticos reformistas facilitaron la instauración de la democracia.

Juan Carlos I es proclamado Rey. 22 de noviembre de 1975.

El Rey
y las primeras elecciones

Adolfo Suárez   Leopoldo Calvo Sotelo   Felipe González   José María Aznar   José Luis Rodríguez Zapatero   Mariano Rajoy

Don Juan Carlos I de Borbón fue proclamado Rey de España el 22 de noviembre de 1975. Tras la dimisión en julio de 1976 de Carlos Arias Navarro, presidente del Gobierno franquista, el Consejo del Reino presentó al Rey tres nombres, entre los que eligió a Adolfo Suárez, un joven político de su generación, centrista y reformista, para ocupar la presidencia. El nuevo primer ministro buscó el consenso de toda la nación y puso en marcha el proceso que conduciría al reconocimiento del pluralismo político y a la sustitución del régimen dictatorial por la democracia. Las Cortes franquistas aprobaron la Ley para la Reforma

Política (18 de noviembre de 1976), que fue masivamente aceptada por el pueblo en el referéndum del 15 de diciembre de ese mismo año: 94,16% de votos afirmativos y 2,56% de votos negativos. La Ley afirmó la inviolabilidad de los derechos de los ciudadanos y atribuyó al Gobierno la facultad de regular y convocar las elecciones. El 18 de marzo de 1977 fue promulgada la Ley Electoral y el 15 de junio se celebraron las elecciones, **las primeras elecciones libres desde la Segunda República**, para elegir a los diputados de las Cortes Constituyentes.

ELECCIONES GENERALES DE JUNIO DE 1977

Partido	Votos	% Votos	Escaños
UCD	6.309.517	34,52%	166
PSOE	5.338.107	29,20%	118
PCE-PSUC	1.711.906	9,37%	20
AP	1.471.527	8.05%	16
PSP-US	816.754	4,47%	6
PDC	514.647	2,82%	11
PNV	296.193	1,62%	8
UDC-CD	172.791	0,95%	2
ES-FED	143.954	0,79%	1
CIC	67.017	0,37%	2
EE-IE	61.417	0,34%	1

UCD (Unión de Centro Democrático); PSOE (Partido Socialista Obrero Español); AP (Alianza Popular); PCE-PSUC (Partido Comunista de España-Partido Socialista Unificado de Cataluña); PSP-US (Partido Socialista Popular-Unidad Socialista); PDC (Pacto Democrático por Cataluña); PNV (Partido Nacionalista Vasco); UDC-CD (Unión del Centro y la Democracia Cristiana de Cataluña); EC-FED (Esquerra de Catalunya-Frente Electoral Democrático); CIC (Candidatura Independiente de Centro); EE-IE (Euskadiko Ezquerra-Izquierda de Euskadi).

Partidos de centro-derecha y derecha: UCD, AP, PDC, PNV, UDC-CD, CIC.
Partidos de centro-izquierda e izquierda: PSOE, PCE-PSUC, PSP-US, EC-FED, EE-IE.

(Fuente: Congreso de los Diputados)

La Carta Magna

"Hoy España es una democracia joven pero sólida, homologable a cualquier otra en Europa y en el mundo. La enumeración de derechos y libertades es de las más avanzadas del continente. Y se liquidó el viejo centralismo para hacer de España un Estado casi federal sin querer llamarse así, en el que las comunidades autónomas tienen amplias atribuciones. La Constitución, además, no fue traumática ni reabrió las heridas de la Guerra Civil".

(Del editorial "La Constitución viva". *Diario 16*. 6-12-2000)

CONSTITUCION ESPAÑOLA

Aprobada por las Cortes el 31 de Octubre de 1978

REFERENDUM NACIONAL 3 DE DICIEMBRE

El Congreso de los Diputados resultante de las elecciones generales del 15 de junio de 1977 designó un comité de siete miembros, elegidos entre los representantes de las principales fuerzas políticas, que logró el acuerdo sobre el modelo de Estado que se quería instaurar y redactó el anteproyecto de la Constitución. En el referéndum del 6 de diciembre de 1978, el 87,87% de los españoles votó a favor de la Constitución, solo el 7,83% votó en contra y el 3,55% lo hizo en blanco. La Constitución de 1978, vigente actualmente en España, es el marco legal en que se apoya la nueva organización autonómica del Estado y la base de la modernización sin precedentes que en cuestiones de libertad y democracia ha experimentado el país en los últimos años.

DON JUAN CARLOS I, REY DE ESPAÑA, A TODOS LOS QUE LA PRESENTE VIEREN Y ENTENDIEREN,
SABED QUE LAS CORTES HAN APROBADO Y EL PUEBLO ESPAÑOL RATIFICADO LA SIGUIENTE CONSTITUCIÓN:

PREÁMBULO

"La Nación española, deseando establecer la justicia, la libertad y la seguridad y promover el bien de cuantos la integran, en uso de su soberanía, proclama su voluntad de:
Garantizar la convivencia democrática dentro de la Constitución y de las leyes conforme a un orden económico y social justo.
Consolidar un Estado de Derecho que asegure el imperio de la ley como expresión de la voluntad popular.
Proteger a todos los españoles y pueblos de España en el ejercicio de los derechos humanos, sus culturas y tradiciones, lenguas e instituciones.
Promover el progreso de la cultura y de la economía para asegurar a todos una digna calidad de vida.
Establecer una sociedad democrática avanzada, y colaborar en el fortalecimiento de unas relaciones pacíficas y de eficaz cooperación entre todos los pueblos de la Tierra.
En consecuencia, las Cortes aprueban y el pueblo español ratifica la siguiente Constitución".

 CONSTITUCIÓN ESPAÑOLA : www.constitucion.es

Gabriel Cisneros Laborda
1

José Pedro Pérez-Llorca
2

Miguel Herrero y Rodríguez de Miñón
3

Miquel Roca Junyent
4

Los siete padres de la Constitución

Los siete padres de la Constitución

Manuel Fraga Iribarne
5

La redacción del texto constitucional fue un proceso largo y no exento de dificultades. Las Cortes elegidas el 15 de junio de 1977 no eran formalmente constituyentes, pero la ciudadanía era consciente de la necesidad de elaborar una Constitución que fundamentara la nueva democracia española.

El primer paso fue redactar el proyecto de la Constitución. Para ello, la Comisión Constituyente del Congreso eligió a siete diputados expertos en Derecho y de reconocido prestigio intelectual.

Miguel Herrero y Rodríguez de Miñón. Diputado de UCD, miembro de la Real Academia de Ciencias Morales y Políticas desde el 9 de abril de 1991. Letrado del Consejo de Estado y Secretario General Técnico del Ministerio de Justicia.

José Pedro Pérez-Llorca. Diplomático y letrado de las Cortes. Fue ministro de la Presidencia y de Asuntos Exteriores.

Gabriel Cisneros Laborda. Diputado de UCD, miembro del Cuerpo General Técnico de la Administración Civil del Estado.

Jordi Solé Tura. Diputado del PSUC, decano de la Facultad de Derecho de la Universidad de Barcelona. Fue ministro de Cultura en el Gobierno socialista de 1991 a 1993.

Gregorio Peces-Barba
6

Gregorio Peces-Barba. Diputado del PSOE, abogado, fue catedrático de la Universidad Complutense y de la Carlos III, de Madrid, y Presidente del Congreso de los Diputados de 1982 a 1986.

Miquel Roca Junyent. Diputado por CDC, abogado y profesor universitario. Presidente del Grupo Parlamentario Catalán en el Congreso de los Diputados de 1977 a 1995.

Manuel Fraga Iribarne. Diputado de AP, catedrático en la Facultad de Ciencias Políticas y de la Administración de la Universidad Complutense de Madrid. Ministro de Información y Turismo, de la Gobernación y Embajador en Londres. Fue presidente de la Comunidad Autónoma de Galicia hasta 2005.

Jordi Solé Tura
7

Monumento a la Constitución

Momentos difíciles
23-F

La crisis provocada por el alza del precio del petróleo a comienzos de los setenta tuvo consecuencias negativas para España. Para hacer frente a la situación, el presidente Suárez tuvo que pactar un acuerdo básico con los partidos políticos, los llamados *Pactos de la Moncloa* (1977), sobre medidas económicas y sociales, la reforma del sistema fiscal, de la Seguridad Social, de la energía, de las empresas públicas y de otros importantes sectores.

Tras una gravísima crisis política, Adolfo

El coronel Tejero toma el Congreso

Suárez tuvo que dimitir, sucediéndole en la presidencia del Gobierno el también centrista Leopoldo Calvo Sotelo. En el transcurso de la sesión de su investidura (23 de febrero de 1981) se produjo el asalto al Congreso de los Diputados por un grupo de guardias civiles. El Rey contribuyó decisivamente a neutralizar el golpe de Estado, lo que le valió el reconocimiento de todas las fuerzas sociales y políticas.

Mensaje del Rey en el 23-F

El Rey habla a los españoles

"Al dirigirme a todos los españoles, con brevedad y concisión, en las circunstancias extraordinarias que en estos momentos estamos viviendo, pido a todos la mayor serenidad y confianza y les hago saber que he cursado a los capitanes generales de las regiones militares, zonas marítimas y regiones aéreas la orden siguiente: ante la situación creada por los sucesos desarrollados en el Palacio del Congreso, y para evitar cualquier posible confusión, confirmo que he ordenado a las autoridades civiles y a la junta de jefes de Estado Mayor que tomen todas las medidas necesarias para mantener el orden constitucional dentro de la legalidad vigente. Cualquier medida de carácter militar que, en su caso, hubiera de tomarse, deberá contar con la aprobación de la Junta de Jefes de Estado Mayor. La Corona, símbolo de la permanencia y unidad de la Patria, no puede tolerar en forma alguna acciones o actitudes de personas que pretendan interrumpir por la fuerza el proceso democrático que la Constitución votada por el pueblo español determinó en su día a través de referéndum".

EL PAIS

Golpe de Estado

El País, con la Constitución

EL PAIS

"Para muchos españoles, ese día (23 de febrero de 1981, intento de golpe de Estado) se produjo una revelación: sabían que el Rey (Juan Carlos I) había sido importante para el cambio político, pero ignoraban hasta el momento hasta qué punto. Ahora, la España de izquierdas se hizo masivamente juancarlista y, poco a poco, quizá se haya convertido en monárquica, al menos en cierto sentido. Pero, para el Rey, lo que hizo aquella noche fue una consecuencia de toda una trayectoria, propia y de la Institución. Muerto Franco, había emprendido un rumbo que entonces culminó. Pero aquella noche no fue la ocasión más difícil de su vida porque sabía lo que tenía que hacer. Peores fueron aquellos días finales del franquismo, en medio de un campo de minas, en los que ni siquiera se sabía cómo acertar".

En *El escudo protector de la transición*, de Javier Tusell. *El País* (núm. especial)

Hacia la normalización: los socialistas en el poder

Cartel anunciador del PSOE

El Partido Socialista Obrero Español (PSOE), republicano y marxista en origen, aceptó la monarquía y adoptó posiciones de signo socialdemócrata. Bajo la dirección de Felipe González y con un programa electoral moderado, venció en las elecciones legislativas generales de 1982. Los socialistas ganaron de nuevo las elecciones de 1986, 1989 y 1993. A lo largo de esos años llevaron a cabo una importante labor de modernización de la infraestructura y de la economía, así como una mejora de la imagen del país en el exterior.

Felipe González y Alfonso Guerra saludan después de ganar las elecciones

España ingresó en 1986 en la Comunidad Económica Europea; en ese mismo año se aprobó mediante referéndum la adhesión a la OTAN, en cuya estructura militar se integró definitivamente en 1997, y en 1991 Madrid fue sede de la Conferencia Internacional de Paz sobre Oriente Medio.

Firma del tratado de adhesión al Mercado Común Europeo

Anagrama del PSOE

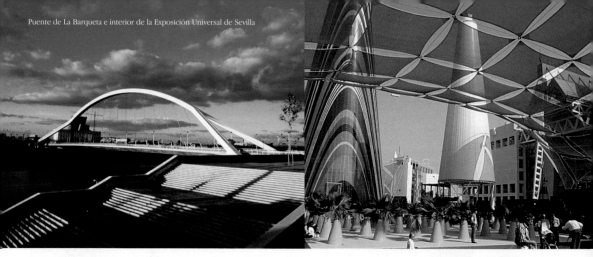

1992
el año de España

Barcelona'92
⬤⬤⬤⬤⬤

1992 fue un año realmente español por los siguientes acontecimientos:

- Conmemoración del V Centenario del Descubrimiento de América.
- Celebración de los Juegos Olímpicos de Barcelona y de la Exposición Universal de Sevilla ("Expo").
- Organización de la Cumbre de Jefes de Estado y de Gobierno Iberoamericanos y designación de Madrid como Capital Europea de la Cultura.
- También se conmemoró la publicación, cinco siglos antes, de la *Gramática Castellana,* de Antonio de Nebrija, (la primera de una lengua romance), y el reencuentro con las culturas musulmana y hebrea: Al-Andalus 92 y Sefarad 92.

Inauguración de los Juegos Olímpicos Barcelona 92

Sello conmemorativo V Centenario

Antonio de Nebrija

Cobi, mascota de los Juegos Barcelona 92

S.A.R. el príncipe Felipe, abanderado de la delegación española en los Juegos de Barcelona 92

El centro derecha en el poder

Desde finales de los años ochenta, la dilatada permanencia en el poder de los socialistas y la alarma social provocada por los casos de corrupción comenzaron a inclinar el voto urbano a favor del Partido Popular, de centro-derecha reformista. Así, desde 1991 el porcentaje de ciudadanos que apoyaban al PSOE fue descendiendo del 40 al 27%. La percepción por la sociedad de que al Gobierno socialista le importaban más los objetivos que los medios para conseguirlos y la escisión interna del partido entre renovadores y defensores de los principios históricos de la doctrina, contribuyeron de forma decisiva a su derrota electoral.

El Partido Popular, dirigido por José María Aznar, ganó las elecciones generales de 1996 y, con mayoría absoluta, las de 2000. La sustitución pacífica de la derecha por la izquierda y de esta nuevamente por aquella marcó definitivamente el fin de la Transición Democrática, proceso histórico que ha sido reconocido con frecuencia como modélico. Sin embargo, aquellos logros no se consiguieron con facilidad, a causa sobre todo del terrorismo de ETA, que, a medida que se afianzaban la democracia parlamentaria y el desarrollo económico, incrementaba sus asesinatos indiscriminadamente.

En muy pocos años, España se transformó en una democracia parlamentaria, sustituyó el centralismo por el modelo autonómico y pasó de ser un país en vías de desarrollo a un país desarrollado.

La estabilidad política favoreció a la economía y España cumplió los requisitos de Maastricht, se incorporó a la Europa del euro el 1 de enero de 2002 y se logró reducir el paro, moderar la inflación y mantener un crecimiento superior a la media de la UE.

José María Aznar

Anagrama del PP

ELECCIONES GENERALES DE MARZO DE 2000

Partido	Votos	% Votos	Escaños
PP	10.321.178	(45,24%)	183
PSOE	7.918.752	(34,71%)	125
IU	1.263.043	(5,57%)	8
CiU	970.421	(4,25%)	7
EAJ-PNV	363.953	(1,55%)	7
BNG	306.268	(1,34%)	3
CC	248.261	(1,09%)	4
PA	206.255	(0,90%)	1
ERC	194.715	(0,85%)	1
IC-V	119.290	(0,52%)	1
EA	100.742	(0,44%)	1
CHA	75.356	(0,33%)	1

La presidenta del Congreso, la presidenta de la Comunidad de Madrid y José María Aznar

Los socialistas vuelven al poder

En las elecciones generales del 14 de marzo de 2004, tres días después de unos graves atentados en Madrid perpetrados por terroristas islámicos, se alzó de nuevo con el triunfo el PSOE, liderado por el joven político José Luis Rodríguez Zapatero, quien prometió instaurar el diálogo y el consenso como base de la actividad política, mejorar la situación social, reforzar la lucha de los demócratas contra el terrorismo, retirar las fuerzas españolas de Irak, asegurar la estabilidad presupuestaria, consensuar las normas sobre inmigración, reformar las leyes educativas y promulgar una normativa progresista a fin de continuar la modernización de la sociedad española.

La etapa de Zapater

Entre las leyes aprobadas durante la presidencia de Rodríguez Zapatero destacan las del matrimonio entre personas del mismo sexo, contra la violencia de género, la de igualdad entre hombres y mujeres, la de dependencia, la antitabaco y la de modificación del divorcio. Se reformó la legislación educativa a fin de adaptar los estudios superiores al sistema de Bolonia, se modificaron los estatutos de autonomía, principalmente de Cataluña y Andalucía, y se consensuó con el Partido Popular reformar algunos puntos de la Constitución, al objeto de impedir el incremento del déficit público. El cerco policial a la banda terrorista ETA y la colaboración con todas las fuerzas políticas democráticas obligaron a este grupo terrorista a anunciar, en el otoño de 2011, el fin de la violencia.

Los conservadores de nuevo al poder

Mariano Rajoy, líder del PP, el partido de centro derecha, se alzó con la mayoría absoluta en las elecciones generales del 20 de noviembre de 2011. La crisis económica y la elevada tasa de paro se consideran, entre otros, factores fundamentales de la pérdida de confianza de amplios sectores de la sociedad española en el proyecto político de Alfredo Pérez Rubalcaba, el candidato socialista derrotado.

EL PAIS

"A la tercera, Mariano Rajoy ha ganado las elecciones generales y con un resultado histórico para el centro derecha español, que da al PP un poder casi omnímodo. El candidato de Génova ha logrado la segunda mayoría absoluta para el partido y, además, ha roto el techo al que llegó José María Aznar en 2000. "Prometo gobernar sin sectarismo", "con responsabilidad", "con humildad y con compromiso", dijo anoche de forma comedida ante los periodistas. "Que nadie se sienta excluido", dijo en un mensaje de moderación en el que incluyó la referencia a un traspaso modélico de poderes y a la convocatoria a todos, empezando por las comunidades autónomas, para hacer frente a la crisis, en la "peor coyuntura de los últimos 30 años". Y la necesidad de ser escuchados y respetados en Europa y, sobre todo, el compromiso de que "el esfuerzo será repartido y equitativo".

De "Rajoy promete gobernar "sin sectarismo", de Fernando Garea.
El País. 20 NOV 2011

ELECCIONES GENERALES DE NOVIEMBRE DE 2011

Partido	Votos	Escaños	2011	2008
PP	10.830.693		186	154
PSOE	6.973.880		110	169
CiU	1.014.263		16	10
IU	1.680.810		11	2
AMAIUR	333.628		7	
UPyD	1.140.242		5	1
PNV	323.517		5	6
ERC	256.393		3	3
BNG	183.279		2	2
CC-NC-PNC	143.550		2	2
COMPROMÍS-Q	125.150		1	
FAC	99.173		1	
GBAI	42.411		1	

PP: Partido Popular; PSOE: Partido Socialista Obrero Español; CiU: Convergència i Unió; IU: Izquierda Unida; AMIUR: nombre en vasco de la localidad Navarra de Maya; UPyD: Union Progreso y Democracia; PNV: Partido Nacionalista Vasco; ERC: Esquerra Republicana de Cataluña; BNG: Bloque Nacionaliste Gallego; NC: Nueva Canaria; PNC: Partido Nacionalista Canario; Compromís-Q: Compromís Equo; FAC: Foro Asturiano de Ciudadanos; GBAI: (Geroa Bai) "Sí al futuro " en vasco.

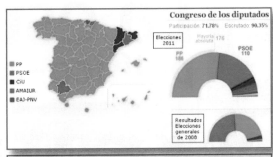

Congreso de los diputados

En las elecciones generales de 2011 experimentaron un notable auge los partidos nacionalistas catalán y vascos (CiU, Amaiur, PNV), así como UPyD e IU.

"Lo que toca ahora es apretarse el cinturón, y este fuerzo de saneamiento va a requerir como paso previo la reordenación de los servicios públicos basándose en criterios de mayor eficiencia. Lo que se impone es una reflexión serena sobre la eficiencia del gasto público en la prestación de los servicios públicos y su coste comparativo.

Las Administraciones autonómicas tienen, como las demás, que gastar mejor, controlar sus presupuestos y contribuir a ese proyecto común que es el de todos los españoles. El solapamiento entre competencias o incluso el enfrentamiento entre Administraciones que en ocasiones se produce debe acabarse. Es urgente una reducción sustancial del aparato administrativo de las comunidades autónomas, en muchas ocasiones pura reproducción de la Administración General del Estado, que tampoco ha sabido ajustarse para evitar repeticiones inútiles. Ello ha llevado a un incremento a todas luces excesivo de organismos y empresas de todo tipo que nada contribuyen, antes al contrario, a la eficacia de la Administración y al control del gasto.

Tampoco es cierto que la disminución de asesores, coches oficiales y chóferes, por poner otro ejemplo, sea únicamente una gota de agua en un desierto, como a veces se aduce. Cuando fui presidente de la Diputación de Pontevedra, recuerdo que no contraté a personal de confianza; hoy hemos llegado a situaciones claramente excesivas. La racionalización del gasto debe tener lugar de forma sistemática en todos los niveles, y determinadas decisiones tienen además un efecto ejemplarizante que los ciudadanos no cesan muy justificadamente de reclamar.

Ello implicará también que el número de empleados públicos no deba crecer en un futuro próximo y que se garantice la igualdad de oportunidades en el acceso a la función pública en todo el territorio español".

(De *En confianza. Mi vida y mi proyecto de cambio para España*, de Mariano Rajoy. Editorial Planeta, S. A. Barcelona. 2011)

3 La estructura
político–administrativa

El príncipe Felipe jura la Constitución El Rey dirigiéndose al Congreso Actos del 25 aniversario de la Constitución

La Constitución

España es un Estado democrático y social de derecho,
basado en los principios de igualdad, libertad y pluralismo político.
Su forma política es la monarquía parlamentaria.

La Constitución española proclama la soberanía nacional, la separación de poderes, la aconfesionalidad del Estado y el derecho a la autonomía de las nacionalidades y de las regiones de España; garantiza los derechos individuales y colectivos y crea la figura del Defensor del Pueblo; atribuye a las Cortes Generales la iniciativa legislativa; establece la unidad jurisdiccional y la total independencia de los jueces e instituye dos órganos jurisdiccionales máximos: el Tribunal Constitucional, intérprete supremo de la propia Constitución, y el Tribunal Supremo, órgano jurisdiccional superior.

CONSTITUCIÓN
ESPAÑOLA

Aprobada por Las Cortes en sesiones plenarias del Congreso de los Diputados y del Senado celebradas el 31 de octubre de 1978

Ratificada por el pueblo español en referéndum de 6 de diciembre de 1978

Sancionada por S. M. el Rey ante Las Cortes el 27 de diciembre de 1978

1. España se constituye en un Estado social y democrático de Derecho, que propugna como valores superiores de su ordenamiento jurídico la libertad, la justicia, la igualdad y el pluralismo político.
2. La soberanía nacional reside en el pueblo español, del que emanan los poderes del Estado.
3. La forma política del Estado español es la Monarquía parlamentaria.

(Artículo 1 del Título Preliminar de la Constitución)

  www.constitucion.es

La Jefatura del Estado

El rey Juan Carlos y la reina Sofía | El príncipe Felipe y el rey Juan Carlos | La Familia Real presidiendo un desfile | El Rey y Alberto Ruiz-Gallardón

El Rey encarna la permanencia y unidad del Estado, sanciona las leyes aprobadas por las Cortes Generales y ostenta la jefatura del Ejército. Sus atribuciones son de carácter moderador e integrador.

El Título II de la Constitución trata de "La Corona" en sus artículos 56 a 65:

Art. 56
1. El Rey es el Jefe del Estado, símbolo de su unidad y permanencia, arbitra y modera el funcionamiento regular de las instituciones, asume la más alta representación del Estado español en las relaciones internacionales, especialmente con las naciones de su comunidad histórica, y ejerce las funciones que le atribuyen expresamente la Constitución y las leyes.
2. Su título es el de Rey de España y podrá utilizar los demás que correspondan a la Corona.
3. La persona del Rey es inviolable y no está sujeta a responsabilidad. Sus actos estarán siempre refrendados en la forma establecida en el artículo 64, careciendo de validez sin dicho refrendo, salvo lo dispuesto en el artículo 65.2.

Art. 61
1. El Rey, al ser proclamado ante las Cortes Generales, prestará juramento de desempeñar fielmente sus funciones, guardar y hacer guardar la Constitución y las leyes y respetar los derechos de los ciudadanos y de las Comunidades Autónomas.

Art. 62
Corresponde al Rey:
a) Sancionar y promulgar leyes.
b) Convocar y disolver las Cortes Generales y convocar elecciones en los términos previstos por la Constitución.
c) Convocar el referéndum en los casos previstos en la Constitución.
d) Proponer el candidato a Presidente de Gobierno y, en su caso, nombrarlo, así como poner fin a sus funciones en los términos previstos en la Constitución.

El rey Juan Carlos I

 (www.casareal.es)

Según las encuestas, la Monarquía es una de las instituciones del Estado más valorada por los españoles.

Entrada principal al Congreso · Vista del león del Congreso · Fachada del Senado

La separación de poderes

Fachada del Congreso

Las Cortes Generales están formadas por el Congreso de los Diputados o *Cámara Baja* y el Senado o *Cámara Alta*. El Congreso es la Cámara de representación popular, ostenta la potestad legislativa, controla al Ejecutivo y posee la facultad de otorgar la investidura al Presidente del Gobierno y de hacerle dimitir. Lo integran 350 diputados elegidos por un periodo de cuatro años mediante un sistema de representación proporcional a la población de cada provincia.

Vista interior del Congreso

El Congreso: www.congreso.es

El Senado, Cámara de representación territorial, puede vetar o corregir los proyectos aprobados por el Congreso. Lo componen 256 senadores, 208 elegidos por sufragio universal directo por un periodo de cuatro años, 48 designados por las Asambleas legislativas de las Comunidades Autónomas y otro más por cada millón de habitantes del territorio correspondiente.

El Senado: www.senado.es

El Gobierno posee la potestad de disolver las Cámaras anticipadamente y convocar nuevas elecciones, así como la capacidad de promulgar decretos y decretos-ley. El Presidente del Gobierno es nombrado formalmente por el Rey, por cuatro años, tras obtener la confianza del Congreso de los Diputados. El Consejo de Ministros es el órgano colegiado del Gobierno.

El Gobierno: www.La-moncloa.es

Bandera de España

El Poder Judicial es independiente y se administra y ejerce por los jueces y magistrados en los Tribunales. El Tribunal Supremo y la Audiencia Nacional poseen jurisdicción sobre todo el territorio nacional. Cada Comunidad Autónoma dispone de un Tribunal Superior de Justicia.

Los ciudadanos pueden ejercer la acción popular y participar en la Administración de Justicia mediante la institución del Jurado. España firmó en 1979 el *Convenio de Roma* para la Protección de los Derechos Humanos y las Libertades Fundamentales, por lo que los españoles pueden acogerse al Tribunal Europeo de los Derechos Humanos.

Sede del Tribunal Constitucional

www.poderjudicial.es

"El presidente del Gobierno en España es nombrado formalmente por el Rey tras un proceso que culmina con la votación de investidura por la Cámara de los Diputados.

El procedimiento ordinario comienza con las consultas que el Rey celebra con los representantes de los grupos políticos a raíz de las elecciones, que concluyen con la propuesta de un candidato a la cámara. La presentación de un programa político de Gobierno, que se somete a la aprobación de esta, constituye el acto político esencial del proceso de nombramiento. En la investidura se otorga la confianza política no solo al presidente, sino al Gobierno que este habrá de nombrar, y se vincula la confianza al programa de Gobierno."

(En *Sistema político español*, de Paloma Román (coordinadora). McGraw-Hill. Madrid.1999)

Símbolos del Estado

El escudo

El escudo de España. Se rige por la ley 33/81 de 5 de octubre.

La bandera

La Constitución Española de 1978 describe la bandera en su Art. 4°.1.:
"*...formada por tres franjas horizontales, roja, amarilla, roja, siendo la amarilla de doble anchura que cada una de las rojas*".

El Estado de las Autonomías

Los Estatutos de Autonomía fijan las competencias y el nivel de autonomía de cada Comunidad Autónoma, según la distinción que la Constitución hace entre *nacionalidades* y *regiones*. Todas las Comunidades Autónomas poseen su propio Presidente, Consejo de Gobierno y Asamblea Legislativa, y tienen atribuidas numerosas competencias, incluidas las fiscales.

Artículo 137
El Estado se organiza territorialmente en municipios, en provincias y en las Comunidades Autónomas que se constituyan. Todas estas entidades gozan de autonomía para la gestión de sus respectivos intereses.

La instauración del Estado de las Comunidades Autónomas no ha satisfecho las demandas de autogobierno de las fuerzas nacionalistas y regionalistas; antes bien, se observa un incremento creciente de las exigencias soberanistas en las llamadas nacionalidades históricas sobre todo, Cataluña, País Vasco y Galicia. El resto de los gobiernos autónomos reclaman la ampliación de sus competencias y, en algunos casos, la consideración de nacionalidades para sus comunidades.
Los nacionalistas soberanistas niegan la existencia de la propia España, de ahí que hayan sustituido su nombre por el de "este país", denominación que ha calado incluso entre sectores ajenos al nacionalismo. Sobre el Estado de las Comunidades Autónomas gravitan, pues, fuerzas divergentes que amenazan su unidad y estabilidad. Las nuevas circunstancias han propiciado la reforma de los estatutos de autonomía.

"La deriva soberanista que en las últimas semanas sobrevuela Cataluña y el País Vasco genera malestar y preocupación, especialmente entre socialistas y populares. Los sucesivos llamamientos a la creación del Estado catalán, al margen del español, y la consulta que proyecta el lehendakari Juan José Ibarretxe confirman la rebelión de los nacionalistas, a escasos meses de que se celebren las elecciones generales, precisamente cuando se estaba a punto de cerrar la negociación sobre el dinero que el Estado destina en los presupuestos a las comunidades autónomas. Josu Jon Imaz, partidario de la colaboración y no de la confrontación con España, dejaba la presidencia del PNV tras perder apoyos de los sectores más radicales, que se felicitan de su salida porque allanará el camino a los que se posicionan por el referédum y la independencia de los vascos. A todo ello se une la quema de retratos de los Reyes en Girona por parte de grupos radicales".

(De "Rebelión nacionalista", de Diego Caballero. *Cambio 16.* Nº 1.869. 1-10-2007)

Algunos Presidentes de Comunidades Autónomas

Artur Mas
Presidente de la Comunidad
Autónoma de Cataluña

Alberto Núñez Feijóo
Presidente de la Comunidad
Autónoma de Galicia

María Dolores de Cospedal
Presidenta de la Junta de
Comunidades de Castilla - La Mancha

Esperanza Aguirre
Presidenta de la Comunidad
Autónoma de Madrid

José Antonio Monago Terraza
Presidente de la Comunidad
Autónoma de Extremadura

Competencias

Artículo 148

1. Las Comunidades Autónomas podrán asumir competencias en las siguientes materias:

1. *La organización de sus instituciones de autogobierno.*
2. *Las alteraciones de los términos municipales comprendidos en su territorio y, en general, las funciones que correspondan a la Administración del Estado sobre las Corporaciones locales y cuya transferencia autorice la legislación sobre Régimen Local.*
3. *La ordenación del territorio, urbanismo y vivienda.*
4. *Las obras públicas de interés de la Comunidad Autónoma en su propio territorio.*
5. *Los ferrocarriles y carreteras cuyo itinerario se desarrolle íntegramente en el territorio de la Comunidad Autónoma y, en los mismos términos, el transporte desarrollado por estos medios o por cable.*
6. *Los puertos de refugio, los puertos y aeropuertos deportivos y, en general, los que no desarrollen actividades comerciales.*
7. *La agricultura y ganadería, de acuerdo con la ordenación general de la economía.*
8. *Los montes y aprovechamientos forestales.*
9. *La gestión en materia de protección del medio ambiente.*
10. *Los proyectos, construcción y explotación de los aprovechamientos hidráulicos, canales y regadíos de interés de la Comunidad Autónoma; las aguas minerales y termales.*
11. *La pesca en aguas interiores, el marisqueo y la acuicultura, la caza y la pesca fluvial.*
12. *Las ferias interiores.*
13. *El fenómeno de desarrollo económico de la Comunidad Autónoma, dentro de los objetivos marcados por la política económica nacional.*
14. *La artesanía.*
15. *Los museos, bibliotecas y conservatorios de música de interés para la Comunidad Autónoma.*
16. *El patrimonio monumental de interés de la Comunidad Autónoma.*
17. *El fomento de la cultura, de la investigación y, en su caso, de la enseñanza de la lengua de la Comunidad Autónoma.*
18. *La promoción y ordenación del turismo en su ámbito territorial.*
19. *La promoción del deporte y de la adecuada utilización del ocio.*
20. *La asistencia social.*
21. *La sanidad e higiene.*
22. *La vigilancia y protección de sus edificios e instalaciones. La coordinación y demás facultades en relación con las policías locales en los términos que establezca una ley orgánica.*

2. Transcurridos cinco años, y mediante la reforma de sus Estatutos, las Comunidades Autónomas podrán ampliar sucesivamente sus competencias dentro del marco establecido en el artículo 149.

La Constitución reconoce y garantiza el derecho a la autonomía de las nacionalidades y regiones de España (Artículo 2). Así, desde 1978 el Estado español está subdividido en 17 Comunidades Autónomas, formadas de acuerdo con sus características históricas, lingüísticas, culturales y económicas.

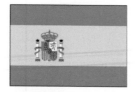

Las divisiones autonómicas

Comunidad Autónoma de Andalucía:
Superficie: 87.597 km². – Capital: Sevilla.
Provincias: Jaén, Córdoba, Sevilla, Huelva, Cádiz, Málaga, Granada, Almería.
Fecha de su autonomía: 11–1–1982.
Población: 8.415.490 habitantes.
Sectores de actividad económica: agricultura (8,7%), industria (11,8%), construcción (13,8%), servicios (65,7%).

Comunidad Autónoma de Aragón:
Superficie: 47.669 km². – Capital: Zaragoza.
Provincias: Huesca, Zaragoza, Teruel.
Fecha de su autonomía: 16–8–1982.
Población: 1.345.419 habitantes.
Sectores de actividad económica: agricultura (7,0%), industria (25,4%), construcción (10,2%), servicios (57,4%).

Principado de Asturias:
Superficie: 10.604 km². – Capital: Oviedo.
Provincia: Asturias.
Fecha de su autonomía: 11–1–1982.
Población: 1.084.109 habitantes.
Sectores de actividad económica: agricultura (7,2%), industria (20,7%), construcción (10,9%), servicios (61,2%).

Comunidad Autónoma de las Islas Baleares / Illes Balears:
Superficie: 4.992 km². – Capital: Palma de Mallorca.
Provincia: Baleares.
Fecha de su autonomía: 1–3–1983.
Población: 1.105.184 habitantes.
Sectores de actividad económica: agricultura (1,8%), industria (9,1%), construcción (13,7%), servicios (75,4%).

Comunidad Autónoma de Canarias:
Superficie: 7.447 km². – Capitales (son alternantes): Las Palmas de Gran Canaria, Santa Cruz de Tenerife.
Provincias: Las Palmas, Santa Cruz de Tenerife.
Fecha de su autonomía: 16–8–1982.
Población: 2.114.928 habitantes.
Sectores de actividad económica: agricultura: (4,4%), industria (6,5%), construcción (14,8%), servicios (74,3%).

Comunidad Autónoma de Cantabria:
Superficie: 5.321 km². – Capital: Santander.
Provincia: Santander.
Fecha de su autonomía: 11–1–1982.
Población: 591.886 habitantes.
Sectores de actividad económica: agricultura (6,4%), industria (20,0%), construcción (13,4%), servicios (60,2%).

Comunidad Autónoma de Castilla–La Mancha:
Superficie: 79.463 km². – Capital: Toledo.
Provincias: Albacete, Ciudad Real, Cuenca, Guadalajara, Toledo.
Fecha de su autonomía: 16–8–1982.
Población: 2.095.855 habitantes.
Sectores de actividad económica: agricultura: (9,1%), industria (18,8%), construcción (15,0%), servicios (57,1%).

Comunidad de Castilla y León:
Superficie: 94.223 km². – Capital: Valladolid.
Provincias: Ávila, Burgos, León, Palencia, Salamanca, Segovia, Soria, Valladolid, Zamora.
Fecha de su autonomía: 2–3–1983.
Población: 2.555.715 habitantes.
Sectores de actividad económica: agricultura: (8,9%), industria (18,5%), construcción (11,6%), servicios (61,0%).

Comunidad Autónoma de Cataluña / Catalunya:
Superficie: 32.114 km². – Capital: Barcelona.
Provincias: Barcelona, Gerona, Lérida, Tarragona.
Fecha de su autonomía: 22–12–1979.
Población: 7.504.881 habitantes.
Sectores de actividad económica: agricultura: (2,4%), industria (28,7%), construcción (9,6%), servicios (59,3%).

Comunidad Valenciana:
Superficie: 23.255 km². – Capital: Valencia.
Provincias: Alicante, Castellón, Valencia.
Fecha de su autonomía: 10–7–1982.
Población: 5.111.706 habitantes.
Sectores de actividad económica: agricultura (4,3%), industria (24,8%), construcción (12,7%), servicios (58,2%).

Comunidad Autónoma de Extremadura:
Superficie: 41.634 km². – Capital: Mérida.
Provincias: Badajoz, Cáceres.
Fecha de su autonomía: 26–2–1983.
Población: 1.105.481 habitantes.
Sectores de actividad económica: agricultura (13,4%), industria (10,3%), construcción (15,0%), servicios (61,3%).

Comunidad Autónoma de Galicia:
Superficie: 29.574 km². – Capital: Santiago de Compostela.
Provincias: La Coruña, Lugo, Orense, Pontevedra.
Fecha de su autonomía: 28–4–1981.
Población: 2.796.811 habitantes.
Sectores de actividad económica: agricultura: (12,6%), industria (20,6%), construcción (12,2%), servicios (54,6%).

Comunidad de Madrid:
Superficie: 8.028 km². – Capital: Madrid.
Provincia: Madrid.
Fecha de su autonomía: 1–3–1983.
Población: 6.458.684 habitantes.
Sectores de actividad económica: agricultura (0,8%), industria (15,0%), construcción (9,4%), servicios (74,8%).

Comunidad Autónoma de la Región de Murcia:
Superficie: 11.313 km². – Capital: Murcia.
Provincia: Murcia.
Fecha de su autonomía: 19–6–1982.
Población: 1.460.164 habitantes.
Sectores de actividad económica: agricultura (10,0%), industria (17,7%), construcción (11,5%), servicios (60,8%).

Mapa autonómico

Comunidad Foral de Navarra:
Superficie: 10.391 km². – Capital: Pamplona.
Provincia: Navarra.
Fecha de su autonomía: 16–8–1982.
Población: 636.038 habitantes
Sectores de actividad económica: agricultura (6,5%), industria (28,0%), construcción (9,4%), servicios (56,1%).

Comunidad Autónoma del País Vasco:
Superficie: 7.234 km². – Capital: Vitoria.
Provincias: Álava, Guipúzcoa, Vizcaya.
Fecha de su autonomía: 22–12–1979.
Población: 2.178.061 habitantes.
Sectores de actividad económica: agricultura (2,0%), industria (28,5%), construcción (9,7%), servicios (59,8%).

Comunidad Autónoma de La Rioja:
Superficie: 5.045 km². – Capital: Logroño.
Provincia: La Rioja.
Fecha de su autonomía: 19–6–1982.
Población: 321.780 habitantes.
Sectores de actividad económica: agricultura (8,8%), industria (32,1%), construcción (9,7%), servicios (49,4%).

Ciudad de Ceuta:
Superficie: 19 km².
Población: 80.570 habitantes.
Sectores de actividad económica: agricultura (0,6%), industria (2,2%), construcción (4,7%), servicios (92,5%).

Ciudad de Melilla:
Superficie: 13 km².
Población: 76.034 habitantes.
Sectores de actividad económica: agricultura: (0,6%), industria (2,2%), construcción (4,7%), servicios (92,5%).

(Fuente: Ministerio de Administraciones Públicas (MAP) e Instituto Nacional de Estadística (INE))

Los partidos políticos

Mesa electoral

La *Ley Orgánica de Partidos Políticos*, promulgada en junio de 2002, constituye el estatuto de los partidos políticos y el instrumento para ilegalizar a los que apoyen el terrorismo.

Urna electoral

Los analistas suelen destacar el alto índice de abstención del electorado español y su cambio frecuente de opción política entre las de signo centrista. El bajo índice de afiliación a los partidos políticos es la causa de su escasez de recursos económicos, por lo que necesitan de financiación estatal. Las cantidades que perciben del Estado dependen del número de votos y escaños conseguidos en las elecciones.

Partidos nacionales:

 Partido Socialista Obrero Español (PSOE), socialdemócrata.

 Partido Popular (PP), centro reformista.

 Izquierda Unida (IU), coalición de fuerzas de izquierda, entre ellas el Partido Comunista de España (PCE).

 EQUO, partido ecologista a favor de la sostenibilidad ambiental, la equidad social y la democracia participativa.

 Unión Progreso y Democracia (UPyD), partido progresista que denuncia las disfunciones del Estado de las Comunidades Autónomas y demanda la recuperación por el Gobierno central competencias, sobre todo en educación y sanidad, transferidas a los autónomos.

Partidos nacionalistas:

 Convergència i Unió (CiU), coalición de los partidos nacionalistas catalanes moderados, Convergencia Democrática de Cataluña (CDC), liberal, y la democristiana Unión Democrática de Cataluña (UDC).

 Partido Nacionalista Vasco (PNV), conservador.

 Coalición Canaria (CC), agrupación de partidos nacionalistas canarios moderados.

 Esquerra Republicana de Catalunya (ERC) y Bloque Nacionalista Galego (BNG), nacionalistas de izquierda.

 Eusko Alkartasuna (EA), socialdemócrata de ámbito nacional vasco.

 Unión Valenciana, Partido Andalucista y Chunta Aragonesista, regionalistas.

 www.psoe.es   www.pp.es   www.izquierda-unida.es

Los sindicatos

La Constitución reconoce la libertad de sindicación y el derecho a la huelga y a la negociación colectiva. Los salarios medios más altos son los de la industria y los servicios. El número de horas laborales anuales medio, según los convenios colectivos, ha pasado de 1759 en 2001 a 1747,15 en 2007.

El Rey con Juan Rosell dirigente de la patronal (CEOE) y los dirigentes de los sindicatos UGT y CC.OO.

Los sindicatos mayoritarios son:
- Unión General de Trabajadores (UGT), sindicato de "reforma y negociación", de ideología socialista.
- Confederación Sindical de Comisiones Obreras (CC.OO), sindicato de "ruptura y conflictividad", de orientación comunista.

Otros sindicatos:
- Unión Sindical Obrera (USO), pluralista e internacionalista.
- Confederación Sindical Independiente de Funcionarios (CSIF), formada por funcionarios y empleados públicos.
- Confederación Nacional del Trabajo (CNT), de tendencia anarquista.

Los sindicatos, actualmente, han abandonado las viejas reivindicaciones del obrerismo revolucionario, han aceptado los postulados de la economía de mercado y se están convirtiendo en agencias de servicios.

- La tasa de afiliación a los sindicatos (más del 15%) es de las más bajas de la UE, por lo que reciben subvenciones de la Administración.
- Los empresarios están asociados en la Confederación Española de Organizaciones Empresariales (CEOE); dentro de ella se integra la Confederación Española de la Pequeña y Mediana Empresa (CEPYME), que mantiene cierta autonomía. La CEOE interviene en las negociaciones colectivas, influye en las decisiones políticas de alcance laboral y desempeña tareas de información y asesoramiento entre sus miembros.

Juan Rosell presidente de la CEOE

Manifestación de trabajadores en huelga

Las relaciones internacionales

Los presidentes Zapatero y Obama

Con los Estados Unidos de América

Las relaciones hispano-norteamericanas son muy activas en las áreas económica y cultural, así como en materia antiterrorista. Ambos países colaboran en la represión del terrorismo internacional, sobre todo desde que se produjeron los ataques de Al-Qaeda a Estados Unidos en septiembre de 2001.

El Gobierno español se unió a Estados Unidos y a Inglaterra en la exigencia a Sadam Hussein del cumplimiento del desarme acordado por la resolución 1.441 de la ONU.

Ban Ki-moon,
Secretario General de la ONU

Sede permanente
de la ONU

Con Iberoamérica

Por razones históricas y culturales, las relaciones de España con Iberoamérica son prioritarias. España es el país de la UE que más invierte en esta zona, a la que también destina la mitad de los fondos que dedica a la cooperación internacional.

Las Cumbres Iberoamericanas, que se celebran periódicamente desde 1991 y cuentan con la asistencia de los presidentes y jefes de Gobierno de España, Portugal y los países iberoamericanos, establecen marcos de cooperación, fijan objetivos comunes y fomentan la conciencia de pertenencia a la comunidad iberoamericana.

XXI
Cumbre Iberoamericana
Paraguay - 2011

Delegación española en la XXI Cumbre Iberoamericana. Paraguay 2011.

Reunión en la Cumbre Iberoamericana.

Con el norte de África

Por razones de proximidad geográfica, el norte de África tiene un gran interés para la política exterior española. España fue sede de la *Primera Conferencia Euromediterránea* (Barcelona, noviembre de 1995), que fijó los objetivos y las bases en que deben asentarse las relaciones entre los países ribereños del Mediterráneo.

Las relaciones con Marruecos son especialmente complejas, a causa de la reclamación por este país de Ceuta y Melilla -dos ciudades españolas situadas en el norte de África- y de la inmigración clandestina procedente de las costas marroquíes, así como de la cuestión del Sahara Occidental, ex-colonia española ocupada por Marruecos para la que España pide, de acuerdo con las recomendaciones de la ONU, la organización de un referéndum.

Mohamed VI, rey de Marruecos

Inmigrantes

Bandera del Vaticano

Benedicto XVI

Con la Iglesia y otras confesiones

Los Acuerdos de 1979 adaptaron las relaciones entre el Estado español y la Iglesia católica a la nueva realidad política y social de España.

La *Ley Orgánica de Libertad Religiosa* de 1980 es la norma básica en la que se apoyan los acuerdos firmados con la Federación de Entidades Religiosas Evangélicas de España, con la Federación de Comunidades Israelitas de España y con la Comisión Islámica de España.

España y la OTAN

España, séptimo país contribuyente a la OTAN, participa activamente en las misiones internacionales que lleva a cabo. La participación española supone un 4,55 por ciento del presupuesto total de la Alianza. En estos años, efectivos militares españoles han intervenido en misiones en el exterior, en la antigua Yugoslavia, en Kosovo, Pakistán, Afganistán, Líbano y Libia. En septiembre de 1999 fue activado el Cuartel General de la OTAN en España, ubicado en Pozuelo (Madrid). En 2002, la OTAN se dotó de cuatro nuevos Cuarteles Generales de Alta Disponibilidad, entre ellos el de Bétera (Valencia), para albergar las Fuerzas de Despliegue Rápido, creadas para responder a la nueva amenaza del terrorismo. El Cuartel General Marítimo está situado en Rota (Cádiz), sede del componente naval del escudo antimisiles de la organización.

Mezquita de Madrid

Material de culto judío

La cuestión de Gibraltar

En 1704, un ejército angloholandés, que participaba en la *Guerra de Sucesión* española (1701-1714) en apoyo de uno de los bandos en conflicto, tomó Gibraltar. Terminada la guerra, los ingleses se negaron a abandonar la Roca y expulsaron a sus habitantes. España reconoció a la Corona de Inglaterra (*Tratado de Utrecht*, 1713) "la plena y entera propiedad" de Gibraltar, pero no le otorgó la soberanía ni el derecho a la comunicación terrestre de la colonia con el territorio español.

El Peñón de Gibraltar

Gibraltar es, hoy día, un paraíso fiscal y un refugio para la economía sumergida, lo que perjudica a España y a toda la UE, que ha declarado ilegal su sistema fiscal, por suponer un agravio contra la libre competencia. España ofrece a Inglaterra compartir la soberanía de Gibraltar durante un dilatado periodo de tiempo, tras el cual los gibraltareños se integrarían en el Estado español de las Comunidades Autónomas, en cuyo seno gozarían de amplia autonomía política y administrativa y podrían mantener su lengua y cultura.

EL PAIS

"La Comisión Europea dio ayer un ultimátum al Gobierno de Gibraltar y, subsidiariamente, al Reino Unido, encargado de las relaciones exteriores de su colonia, para que presente una propuesta seria que termine con la condición de paraíso fiscal del Peñón. Según la Comisión, el paraíso fiscal gibraltareño perturba el funcionamiento del mercado único europeo, fomenta la competencia desleal de las empresas instaladas en Gibraltar en relación a las establecidas en otros países de la Unión y genera la existencia de una economía ficticia en el mismo Peñón. Es asimismo obvio que el régimen fiscal de Gibraltar le convierte en un refugio en el que lavan su dinero negro diversas organizaciones dedicadas al contrabando, al tráfico de drogas o a diversas actividades mafiosas. Estamos ante un auténtico escándalo para todo el continente.

Las cifras son elocuentes: en Gibraltar hay inscritas unas 29.000 empresas, más que habitantes tiene la colonia. Más de la mitad de estas empresas declaran no efectuar la menor actividad y no tener el menor ingreso –es decir, son sólo tapaderas-, y sólo unas 1.400 pagan impuestos".

(En *Ultimátum a Gibraltar*. El País. 31-3-2004)

Vista del Peñón de Gibraltar

Los monos del Peñón

ARTÍCULO X DEL TRATADO DE UTRECHT
13 de Julio de 1713

"El Rey Católico, por sí y por sus herederos y sucesores, cede por este Tratado a la Corona de la Gran Bretaña la plena y entera propiedad de la ciudad y castillos de Gibraltar, juntamente con su puerto, defensas y fortalezas que le pertenecen, dando la dicha propiedad absolutamente para que la tenga y goce con entero derecho y para siempre, sin excepción ni impedimento alguno. Pero, para evitar cualquiera abusos y fraudes en la introducción de las mercaderías, quiere el Rey Católico, y supone que así se ha de entender, que la dicha propiedad se ceda a la Gran Bretaña sin jurisdicción alguna territorial y sin comunicación alguna abierta con el país circunvecino por parte de tierra. Y como la comunicación por mar con la costa de España no puede estar abierta y segura en todos los tiempos, y de aquí puede resultar que los soldados de la guarnición de Gibraltar y los vecinos de aquella ciudad se ven reducidos a grandes angustias, siendo la mente del Rey Católico sólo impedir, como queda dicho más arriba, la introducción fraudulenta de mercaderías por la vía de tierra, se ha acordado que en estos casos se pueda comprar a dinero de contado en tierra de España circunvencina la provisión y demás cosas necesarias para el uso de las tropas del presidio, de los vecinos u de las naves surtas en el puerto.

Pero si se aprehendieran algunas mercaderías introducidas por Gibraltar, ya para permuta de víveres o ya para otro fin, se adjudicarán al fisco y presentada queja de esta contravención del presente Tratado serán castigados severamente los culpados.
Y su Majestad Británica, a instancia del Rey Católico consiente y conviene en que no se permita por motivo alguno que judíos ni moros habiten ni tengan domicilio en la dicha ciudad de Gibraltar, ni se dé entrada ni acogida a las naves de guerra moras en el puerto de aquella Ciudad, con lo que se puede cortar la comunicación de España a Ceuta, o ser infestadas las costas españolas por el corso de los moros. Y como hay tratados de amistad, libertad y frecuencia de comercio entre los ingleses y algunas regiones de la costa de África, ha de entenderse siempre que no se puede negar la entrada en el puerto de Gibraltar a los moros y sus naves que sólo vienen a comerciar.
Promete también Su Majestad la Reina de Gran Bretaña que a los habitadores de la dicha Ciudad de Gibraltar se les concederá el uso libre de la Religión Católica Romana. Si en algún tiempo a la Corona de la Gran Bretaña le pareciere conveniente dar, vender, enajenar de cualquier modo la propiedad de la dicha Ciudad de Gibraltar, se ha convenido y concordado por este Tratado que se dará a la Corona de España la primera acción antes que a otros para redimirla".

La Cooperación española y la ayuda al desarrollo

España destina importantes recursos al desarrollo económico, social, científico, cultural y educativo de Iberoamérica, de los países árabes, especialmente de los mediterráneos -Marruecos es el país que más ayuda económica recibe de España-, del África subsahariana y de los países de Europa Central y del Este. Parte de la ayuda española se realiza mediante la concesión de créditos blandos -Fondos de Ayuda al Desarrollo (FAD)-, y parte se delega a las ONG.

El porcentaje del PIB destinado en los últimos años a la ayuda al desarrollo ha sido del 0,23%. El porcentaje del PIB destinado a la ayuda al desarrollo ha pasado del 0,30% en 2001 al 0,42% en 2007. Se aspira a dedicar el 7% del PIB en los próximos años.

Plataforma 0,7 delante del Congreso

Manifestación a favor de la cooperación

Cooperación Internacional

La política pública de cooperación para el desarrollo constituye para el Gobierno un elemento fundamental de su acción exterior. Su principal objetivo, la lucha contra la pobreza, se entiende no solo como la necesidad de superar la carencia de ingresos y bienes, sino también como la de ampliar los derechos, oportunidades y capacidades de la población más desfavorecida.

Se trata de un reto de primer orden cuya acción necesita de una política de Estado generada a partir de un amplio consenso entre todos los agentes de la cooperación española, la Administración Central, las Comunidades Autónomas, las entidades locales, los grupos parlamentarios y la sociedad civil.

La lucha contra la pobreza y el hambre es el combate más noble que la ciudadanía puede librar. Nos encontramos ante una oportunidad histórica para erradicar las desigualdades y el Gobierno y el pueblo español quieren estar en primera línea de esta lucha.

Un destacado avance en la consecución de esta política de Estado fue la aprobación por consenso del II Plan Director de la Cooperación Española 2005-2008, el documento marco que establece los objetivos, criterios, prioridades sectoriales y geográficas de la cooperación al desarrollo y en cuya elaboración participaron todos los agentes. La labor desarrollada en este II Plan Director se ha visto afianzada con la aprobación del actual Plan Director de la Cooperación española 2009-2012, que enlaza de forma armónica con el anterior y que trata de avanzar sobre lecciones aprendidas, así como de incorporar más solidez en la estructuración de sus elementos.

Junto a la coordinación y complementariedad entre actores nacionales e internacionales, el Plan Director apuesta por una mayor coherencia de políticas y la mejora de la calidad de gestión de la Ayuda Oficial al Desarrollo (AOD) y su incremento.

La Declaración del Milenio y otros acuerdos derivados de las Cumbres de Naciones Unidas son los principales referentes del Plan Director. Todas las intervenciones de la cooperación española están y estarán orientadas a contribuir a la lucha contra la pobreza, a la promoción y defensa de los derechos humanos, la conservación del medio ambiente, la equidad de género y respeto a la diversidad cultural, en suma, a promover el desarrollo sostenible.

Existe además un compromiso de incluir la obligación de destinar a la cobertura de los servicios sociales básicos (educación y salud) al menos el 20 por ciento de la AOD bilateral, a la vez que se refuerza el compromiso con los Países Menos Adelantados, a los que se destinará al menos el 20 por ciento de la Ayuda Oficial al Desarrollo. América Latina y el Mediterráneo seguirán siendo nuestro ámbito de atención prioritaria, pero África Subsahariana se convertirá también en una fuerte apuesta de la cooperación española.

En esta Legislatura también se está abordando la reestructuración de la acción humanitaria española –a ella se destinará al menos el 7 por ciento de la AOD bilateral."

(Tomado de *Información General. Secretaria de Estado de Cooperación Internacional*. Ministerio de Asuntos Exteriores y de Cooperación. Gobierno de España).

La imagen de España en el exterior: "Marca España"

A pesar de la modernidad de la sociedad española, de su apreciable nivel de desarrollo socioeconómico y de la admiración que han suscitado la transición pacífica de la dictadura a la democracia y la transformación del Estado centralista en autonómico, el cambio en la percepción de España en el exterior no ha evolucionado en la misma medida que su modernización. Aún perviven prejuicios y estereotipos heredados del pasado, sobre todo algunos enraizados en la tradición de la "España de pandereta", creada por los viajeros románticos del siglo XIX, de una España de toreros y folclóricas, falsamente apasionada y patética. En ello nos corresponde a los españoles una parte de culpa, pues con demasiada frecuencia hemos adaptado la imagen de nuestro país a la mirada de los demás. La puesta en marcha del *Proyecto Marca España* responde a la necesidad de "avanzar en la construcción de una imagen de España que responda a la nueva realidad social, económica y cultural de nuestro país".

Instituto Cervantes

Madrid
EXCELENTE

EL PAIS

La etiqueta "made in Spain" no tiene en el exterior el prestigio que debiera. Pese a ser la septima economía mundial y el sexto país inversor, la percepción que se tiene fuera no se corresponde aún con esa realidad.
En ningún país desarrollado se da un desfase tan grande como en España entre la percepción que se tiene del mismo y sus empresas, y su propia realidad empresarial y socioeconómica. El progreso experimentado por España durante los últimos treinta años, que la ha llevado a convertirse en la séptima economía más importante del mundo y en el sexto país inversor neto en el exterior, no se corresponde con la percepción que desde fuera se tiene del país. En términos generales, España sigue viéndose, en mayor o menor medida en cada parte del mundo, como una tierra de fiestas y de siesta, algo positivo para su floreciente sector turístico (el segundo del mundo en cuanto a número de visitantes y de ingresos), pero no cuando se trata de vender y promocionar sus productos en el extranjero y de ser considerado un país serio y eficiente.

(De *Vender la imagen comercial de España*, de William Chistett. El País.28-12-2007)

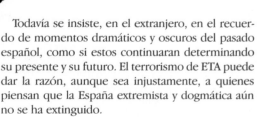

Todavía se insiste, en el extranjero, en el recuerdo de momentos dramáticos y oscuros del pasado español, como si estos continuaran determinando su presente y su futuro. El terrorismo de ETA puede dar la razón, aunque sea injustamente, a quienes piensan que la España extremista y dogmática aún no se ha extinguido.

Vestido del diseñador Javier Larrainzar

La sociedad

Calle Preciados. Madrid   Internet para la tercera edad   Bebés   Jóvenes en el Parque del Retiro   Gimnasia p

Bajo índice de nacimientos

Los españoles han experimentado en muy pocos años un profundo cambio en sus hábitos, costumbres, valores y organización política, y han conseguido situarse entre los pueblos económicamente más desarrollados y competitivos del mundo. España es, hoy día, un país pluricultural y plurilingüe (el castellano es la lengua oficial en todo el Estado; el catalán, gallego y euskera comparten la oficialidad en sus respectivas Comunidades Autónomas). El centrismo, bajo un doble signo neoliberal y socialdemócrata, es la ideología dominante en la sociedad española actual.

El índice de fecundidad (1,32 hijos por mujer) es inferior a la media comunitaria (1,53 hijos por mujer) y está por debajo de la tasa de reposición natural de la especie (2,1 hijos por mujer). Casi la mitad de las españolas no tienen hijos. -Los métodos anticonceptivos más usuales son: preservativo: 37%; píldora: 17,9%; DIU: 4.9%; vasectomía: 4,6%; ligadura: 4,3%; coito interruptus: 2,2%. El 21% de las parejas no utiliza ninguno. La "píldora del día después" se puede obtener sin receta médica.

- El aumento del índice de nacimientos a partir de 2001 se ha debido a las madres inmigrantes.
- Según estudios recientes, España necesita acoger a unos 300.000 inmigrantes al año para renovar sus recursos humanos y mantener las prestaciones sociales actuales.
- El bajo índice de nacimientos se debe a varios factores, entre ellos: la incorporación progresiva de la mujer al trabajo, el uso de anticonceptivos por 3 de cada 4 mujeres, las dificultades para encontrar vivienda y el alto índice de precariedad laboral.
- Madrid y Andalucía son las Comunidades de mayor crecimiento vegetativo (nacimientos menos defunciones).

> El número de hijos por mujer ha pasado de 2,8 en 1975 a 1,24 en 2001 y a 1,32 en la actualidad.

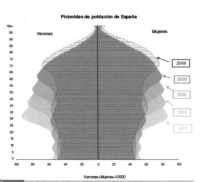

Pirámides de población de España

Varones   Mujeres

2049
2030
2029
2010
2009

Varones=Mujeres=10000

cifras INE
Boletín informativo del Instituto Nacional de Estadística

2/2005

Censos de Población y Viviendas 2001

Proyección de la Población de España a Largo Plazo, 2009-2049

Las tendencias demográficas actuales llevarían a una reducción progresiva del crecimiento poblacional en las próximas décadas. El crecimiento natural de la población se haría negativo desde 2020. La población mayor de 64 años se duplicaría en 40 años y pasaría a representar más del 30% del total debido al envejecimiento de la pirámide poblacional.

Notas de prensa INE 2010

El envejecimiento de la población

ra edad   Fiesta en una residencia para mayores   Mayores tomando el fresco   Anciana   Hombres jugando a las cartas

Proyección del INE sobre el número de hijos por mujer:	
Año 2010:	1,39
Año 2020:	1,51
Año 2030:	1,52
Año 2040:	1,52
Año 2050:	1,52

Inmigrantes en clase de español

Proyección del INE sobre el índice de mayores de 65 años:	
Año 2010:	17,36%
Año 2020:	19,47%
Año 2030:	23,44%
Año 2040:	28,21%
Año 2050:	30,85%

**Edad media de las españolas madres por vez primera: 31,9 años
(28,7 años las residentes extranjeras en España).**

Como resultado de la baja tasa de nacimientos y del aumento de la esperanza de vida, la población española envejece progresivamente: el 17,1% tiene más de 65 años y cada mes alcanzan esta edad unas 36.000 personas. De mantenerse la actual situación, el 30,85% de los españoles tendrá más de 65 años en 2050. Según estimaciones de las Naciones Unidas, la población española será, en ese año, la más vieja del mundo, la edad media será de 55 años y los más de 47 millones de habitantes actuales descenderán a 31,2. Sin embargo, según el INE, España alcanzará los 50 millones de habitantes en 2025 gracias a la inmigración.

EL PAIS

"La pirámide demográfica se resquebraja en España. Aún no desciende el número de habitantes, pero eso es lo que inevitablemente deparará el futuro si no aumenta espectacularmente la tasa de fecundidad (la menor de Europa) y no se mantiene un flujo continuado de inmigrantes. Ni siquiera así se detendrá el progresivo envejecimiento de la población. Menos jóvenes, más ancianos y menos activos para proveer sus necesidades: educación, sanidad, pensiones... El reto del siglo para los políticos.

Sólo hay dos recetas para evitar el descenso de la población: más hijos y más inmigrantes".

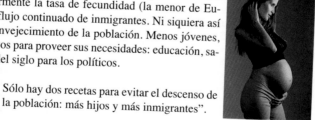

(En *España envejece*, de Luis Matías López. *El País*. 10-8-2003)

Llegada de inmigrantes en pateras

Los mayores

- El 17,1% de la población tiene 65 años o más. Hay 8,5 millones de mayores de 65 años, casi dos millones de octogenarios y 7.190 personas con más de cien años.
- El 72% de los españoles de 65 años se consideran jóvenes y sanos.
- Solo trabaja el 18% de los mayores de 55 años.
- Se estima en 60.000 el número de ancianos que son objeto de maltrato, sobre todo por parte de familiares.
- La familia desempeña una labor fundamental en el cuidado de los mayores, sobre todo las hijas, en un porcentaje del 32,3%. La mayoría de las cuidadoras tiene entre 40 y 65 años, trabaja y tiene hijos. Por su parte, el 31% de las abuelas cuida de los nietos, tarea a la que también se están incorporando los abuelos.

- En 2006 se aprobó la Ley de Dependencia, que ampara a los ciudadanos y ciudadanas dependientes, que no pueden valerse por sí mismos.
- El Instituto de Mayores y Servicios Sociales (IMSERSO), Entidad Gestora de la Seguridad Social para la gestión de los Servicios Sociales complementarios de las prestaciones del Sistema de Seguridad Social en materia de mayores en España, ofrece entre sus servicios viajes y estancias para pensionistas mayores de 60 años en condiciones económicas muy ventajosas.

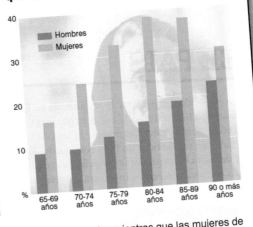

2/2003 · Censos de Población y Viviendas 2001 · Boletín informativo del Instituto Nacional de Estadística

Los mayores de 65 años y sobre todo, los mayores de 85 años han aumentado mucho entre los dos últimos censos de población, los primeros un 26,6% y los segundos un 44,6%. Es importante resaltar este aumento por la necesidad de asistencia social que genera este colectivo.

De los 6,8 millones de personas de 65 años o más, casi 1.360.000 viven solas, con una relación de 3 a 1 a favor de las mujeres. Entre las personas de 75 años o más, el porcentaje de hogares unipersonales es del 27%.

Con todo, el modo de convivencia más frecuente entre las personas de 65 años o más es 'con algún hijo' (2,5 millones), seguido de 'solos con su pareja' (2,3 millones). Solo un 1,2% de las personas de 65 años y más se alojan en asilos y residencias para ancianos, de éstos, cerca de las tres cuartas partes son mujeres.

Más de la mitad de los hombres mayores de 85 años están casados mientras que las mujeres de esta edad solo lo están el 10,1%. Sin embargo, el porcentaje de viudas (79,2%) casi duplica al de viudos (40,7%).

Porcentaje de personas de 65 y más años que viven solas

Hombres
Mujeres

65-69 años / 70-74 años / 75-79 años / 80-84 años / 85-89 años / 90 o más años

Hacia la equiparación del hombre y la mujer

Artículo 14

Los españoles son iguales ante la ley, sin que pueda prevalecer discriminación alguna por razón de nacimiento, raza, sexo, religión, opinión o cualquier otra condición o circunstancia personal o social.

A pesar de que la igualdad jurídica de ambos sexos está reconocida por la Constitución y de que las mujeres superan en número (50,58%) a los hombres (49,42%), aún existe desigualdad de hecho entre unas y otros. Por ejemplo, las tareas domésticas y el cuidado de los hijos recaen sobre todo en la mujer. Solo algo menos del 20% de los varones colabora con la mujer en los trabajos del hogar.

Según datos de la ONU, España ocupa el puesto 21 entre todos los países del mundo por el nivel de equiparación de sexos y el 15 en el nivel de participación económica y política de la mujer.

La discriminación se produce sobre todo en el ámbito laboral:

EL PAIS

Las mujeres acaparan casi la mitad de los nuevos afiliados a los sindicatos en los últimos tres años.
La diversidad de sexo todavía escasea al frente de sectores y territorios de las centrales sindicales.

JUDITH CASALS - Barcelona

La mujer española y su acceso a las Fuerzas Armadas

- La Ley de Igualdad, aprobada por el Congreso el 22 de diciembre de 2006, establece que las listas electorales han de tener al menos un 40% de mujeres y ninguno de los dos sexos podrá superar el 60%.
- Las tareas domésticas y el cuidado de los hijos recaen sobre todo en la mujer. Solo el 6% de los hombres comparte estas labores. El 86% de las mujeres piensa que trabajo y familia son difíciles de conciliar. El 51% de las mujeres trabajadoras no tiene hijos, el 27% tiene uno solo, un 20% dos y un 4% tiene tres o más.
- La discriminación se produce sobre todo en el ámbito laboral: la mujer suele encontrar más dificultades que el hombre para acceder al mercado laboral y alcanzar puestos directivos, sus salarios suelen ser más bajos, un 25,5% inferiores a los de los hombres en puestos de trabajo iguales, y la tasa de paro y el índice de temporalidad de sus trabajos son superiores a los de los hombres.
- Las mujeres apenas están presentes en los órganos de decisión de las grandes empresas y en el 40% de las mismas no hay ninguna mujer. La presencia de mujeres en los consejos de administración en las empresas del Ibex es del 11%.
- El 88% de las mujeres empleadas lo está en el sector servicios. Están ocupadas el 52% de las mujeres y el 68% de los hombres. El 80% de las mujeres trabajan en PYMES.
- El número de parados que percibe prestación (1,4 millones) supera al de paradas (400.000).
- El 50,7% son católicas no practicantes. El 33,5% de las jóvenes entre 18 y 25 años se declaran agnósticas.
- La primera causa de mortalidad en las mujeres menores de 30 años son los accidentes de tráfico; cáncer de mama o útero entre las que tienen entre 30 y 60 años, y los problemas relacionados con la obesidad entre las mayores de 60. El 34% de las mujeres españolas no practica ninguna actividad física. El 25% se declara fumadora activa. El 20% sufre ansiedad.
- Una de cada cuatro mujeres reconoce haber sido maltratada alguna vez por su pareja. La edad media en que comienzan a sufrir malos tratos es a los 25 años. El 15,2% declara haber recibido malos tratos fuera de la pareja, generalmente por parte de un familiar (8%).
- Por cada cinco mujeres asesinadas por hombres, muere un hombre a mano de una mujer.
- Unas 50.000 mujeres cuentan con medidas de protección.
- El dinero (62,5%), el trabajo (57,1%) y la salud (54,6%) son los asuntos a los que más importancia conceden las mujeres. Valoran altamente la lectura de libros y compartir el tiempo con la familia y los amigos.

Las desigualdades decrecen

Margarita Salas.
Bioquímica

- En la actividad política hay más igualdad entre hombres y mujeres. A veces el número de ministras ha sido igual al de ministros.
- Unas 100.000 mujeres se incorporan al mercado laboral anualmente.
- La media anual de incorporación de la mujer al mercado laboral (6,2%) es casi el doble que la de los hombres (3,34%).
- Las estudiantes superan en número a los estudiantes en la Universidad (57%) y en los programas de doctorado, y suelen terminar las carreras antes y con mejores notas que los hombres, pero sólo un 36% del profesorado universitario son mujeres. El número de científicas es superior al de científicos. El porcentaje de mujeres entre 25 y 34 años con estudios superiores (58%) supera al de hombres (51%).
- El 21% de los hombres y el 10% de las mujeres admiten haber sido infieles a su pareja.
- El 70% de las mujeres están satisfechas con su vida sexual. El 2% hubiera preferido nacer hombre. El 60% prefiere vivir en pareja y sola el 10%.
- El 28% de las mujeres que abortan no utiliza ningún sistema de contracepción.
- El ritmo de crecimiento del número de abortos se ha ralentizado en los últimos años, sobre todo entre las inmigrantes, tal vez a causa de la píldora postcoital y de los programas de prevención de embarazos.
- Hasta la semana 14 la mujer puede abortar sin dar explicaciones.

Rosa Gracia-Malea.
Primera mujer piloto de caza y ataque

Inma Shara.
Directora de orquesta

Noelia Fernández.
Directora editorial y de contenidos de Yahoo!

María Soraya Sáenz de Santamaría.
Vicepresidenta del gobierno

Ana Patricia Botín.
Presidenta de Banesto

EL⊕MUNDO

[...] "España "incrementó su desarrollo de género en los 25 años del pasado reciente, y redujo las desigualdades entre mujeres y hombres", pero aunque "se acortaron las distancias entre comunidades autónomas, por la mejoría de las situadas por debajo de la media, como Extremadura, Castilla-La Mancha y Andalucía, persisten las diferencias a favor de las comunidades del norte". [...]

[...] También añade que, aunque España "ocupa uno de los primeros puestos mundiales por su índice de desarrollo humano, este índice se rebaja cuando se aplica solo a las mujeres", por lo que pone de relieve "la importancia de contar con estudios de este tipo para la política de la presidencia europea de reducción de desigualdades".

(En *Un estudio constata más desigualdad entre sexos en el sur que en el norte de España"*.
Europa Press. elmundo. es. 25-3-2010)

Los jóvenes

- En España hay ocho millones de jóvenes de entre 14 y 30 años.
- A causa del paro y la temporalidad laboral, el porcentaje de jóvenes de entre 18 y 34 años que vive con sus padres es muy alto: 41,1% de los chicos, 28,8% de las chicas.
- El 45,4% de las españolas abandona el hogar familiar por matrimonio o unión de hecho, frente al 32% de los chicos.
- La tasa de paro juvenil es de casi el 41,7%. Los jóvenes españoles en paro suponen el 25% de los jóvenes parados europeos.
- El 46% de los parados españoles son menores de 25 años.
- Se conoce como Generación Nini la de los jóvenes de entre 18 y 30 años que han fracasado en los estudios y han abandonado también el trabajo.
- El salario medio de un trabajador de entre 18 y 34 años es de 15.263 euros anuales.
- Unos 200.000 jóvenes realizan trabajos sociales o actividades benéficas sin remunerar.

- El 46,4% de los jóvenes afirma hacer ejercicio a diario. El deporte preferido es el fútbol (46,14%), que en el caso de los varones asciende al 53,7%. Las chicas practican fútbol (19,7%), voleibol (15,3%), tenis (13,6%) y baloncesto (12,3%).
- El 40% tiene amigos virtuales a los que no han visto nunca. Dedican gran parte de su tiempo a navegar por Internet y a ver la televisión.
- La edad media de comienzo de las prácticas sexuales es de 16 años.
- La mayoría de los embarazos en adolescentes no son deseados y terminan en abortos inducidos o provocados.
- Un joven de cada tres se declara católico practicante, uno de cada diez asiste a misa cada domingo, pero sólo el 10% de éstos cree que en el seno de la Iglesia se puede encontrar el sentido de la vida.

- Un problema que preocupa cada vez más es el de la anorexia. La edad media de la paciente con problemas relacionados con la alimentación se sitúa entre los 15 y los 20 años. También aumenta el número de anoréxicos.
- El 17% tiene sobrepeso, frente al 13,3% de la media europea.
- Gran número de jóvenes (69,5%) asiste a los botellones entre una y dos veces por semana. En ellos se consumen sobre todo alcohol y tabaco. El 87% de los jóvenes consume alcohol el fin de semana.
- El alcohol es la droga más consumida entre los universitarios (62,8%), seguida del tabaco (22,9%), el cannabis (11,6%), las drogas de síntesis (1,6%) y la cocaína (0,9%).
- Los jóvenes españoles comienzan a consumir alcohol a los 12,3 años.

Evolución temporal del porcentaje de personas solteras (de 25 a 29 años)

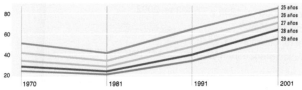

Los jóvenes y la violencia

- La violencia en la juventud es cada vez más alarmante. En los últimos años ha crecido un 15%.
- Según un estudio del Instituto de la Juventud (junio 2010), el 15% de la juventud justifica la violencia de género y el 17,7% de los hombres menores de 30 años está convencido de que el varón agresivo es más atractivo. Cada año, 3,3 millones de menores son testigos de violencia física y verbal entre sus padres.
- Aumenta el acoso escolar y la violencia machista protagonizada por menores.
- A causa de la violencia y las agresiones, el 23% de los estudiantes siente miedo de ir al colegio alguna vez, el 0,6% lo siente a diario. El 13% afirma que nadie les ayuda. Los profesores sienten miedo en el 14% de los centros docentes. El 53% de los alumnos destrozan enseres de los profesores, y el 35% les roban.
- La mitad de los jóvenes justifica la violencia en determinados casos. El (74%) cree que los comportamientos violentos son habituales en la sociedad actual.
- Un 8,1% de los jóvenes declara haber sufrido algún tipo de maltrato psicológico a través del teléfono móvil, y el 11,6% a través de Internet.
- El consumo de alcohol y/o drogas (87,4%) y el haber vivido comportamientos violentos (81,2%) son citados por los jóvenes como causa de la violencia.
- Uno de cada cuatro estudiantes de entre 8 y 17 años corre el riesgo de padecer secuelas en la edad adulta por haber sido víctima de acoso y violencia.

Machismo: m. Actitud prepotente de los varones respecto de las mujeres. *Real Academia: Diccionario Usual.*

Valores e ideales

- Los jóvenes entre 12 y 18 años otorgan gran valor a la familia, suelen ser tolerantes y liberales, se preocupan por su futuro laboral, por la amistad.
- Son muy críticos con los dirigentes y manifiestan muy escaso interés por la política y los partidos políticos, las instituciones, el ejército y la Iglesia.
- La mayoría se declara de ideología centrista.
- Aumenta el número de jóvenes a los que la religión les es indiferente, y el de los no creyentes.
- El 63% tiene un concepto negativo de la inmigración. Son mayoritariamente antibelicistas. Muchos de ellos se declararon objetores de conciencia antes de la desaparición del servicio militar obligatorio (31 de diciembre de 2001).
- Valoran positivamente las organizaciones de voluntariado, la Seguridad Social, la Policía, la ONU y la Unión Europea.

Censos de Población y Viviendas 2001

Según el *Informe Juventud 2000*, el 69% de los jóvenes entre 15 y 17 años de edad se identifica con su pueblo o ciudad, el 14% con España, el 10% con su Comunidad Autónoma y el 2% con Europa. El 8% se declara ciudadano del mundo.

A finales de 2001, el número de aspirantes a ingresar en el Ejército profesional era solo de 0,4 por puesto ofrecido.

- El número de abortos va en progresión: 54.000 en 1998 y 77.000 en 2002.
- 2 de cada 10 niños nacen de madres no casadas.
- El matrimonio es la forma más habitual de convivencia.
- En los 14,2 millones de hogares españoles predominan las parejas. Las parejas no casadas suponen el 5,9% del total.

La familia

- España invierte el 1,2% de su PIB en políticas de protección familiar. El 21% de las familias españolas sólo tiene un hijo.
- Un 25% de los hombres considera que la mujer debe ocuparse de los niños hasta su escolarización. Solo un 7% de los padres participa en la crianza de los hijos tanto como las madres; sin embargo, el 69% de los hombres aboga por un modelo de familia igualitario.
- A causa de la crisis económica, en 2011 se suprimió el cheque bebé, ayuda de 2.500 € que desde el 1 de julio de 2007 el Gobierno otorgaba a la madre que había tenido o adoptado un hijo. Solo el 16% de las familias tiene acceso a una guardería pública.
- La tasa de matrimonios ha pasado de 5,7 por mil a 4,2 por mil en la última década. El 28% de los jóvenes viven en pareja sin casarse.
- El porcentaje de bodas civiles aumenta en detrimento de las religiosas; sin embargo, todavía el 39,5% preferiría casarse por la Iglesia y el 16,8% por lo civil. Una moda reciente son las bodas ficticias, en las que los oficiantes son simples actores.
- Para el 96% el mantener una relación sexual con otra persona fuera del matrimonio es una infidelidad. Un 39% admite haber sido infiel o que podría ser infiel. El 21% de los hombres y el 10% de las mujeres reconocen haber engañado a sus parejas. El 57% afirma que perdonaría a su pareja en caso de infidelidad. Los mayores de 35 años son más permisivos y dispuestos a perdonar que los más jóvenes.
- Dos de cada tres parejas se separan. La mayoría, el 92,7% opta por el divorcio. En 2010, cada cuatro minutos se rompió una pareja.
- La conciliación trabajo-familia es aún un problema irresuelto para las madres trabajadoras.
- La convivencia con los suegros es fuente de conflictos para el 60% de las parejas.

La familia es la célula social básica y más valorada. Es prioritaria para el 99% de los españoles, pero en los últimos años ha perdido cohesión y perdurabilidad. Cada vez son más frecuentes los matrimonios civiles, las uniones libres, los hogares monoparentales y los reconstituidos.

Las parejas de hecho son muy numerosas y están socialmente admitidas. La ausencia de una normativa reguladora de ámbito nacional para este tipo de uniones ha impulsado a las Comunidades Autónomas a establecer sus propias leyes al respecto.

La familia tradicional, formada por padres, hijos, abuelos, tíos, primos, etc., ha sido sustituida por la llamada "nuclear": padre, madre y uno o dos hijos. Aumenta el número de separaciones y de divorcios. El porcentaje de hijos extramatrimoniales es del 16%.

El 30 de diciembre de 2004 se aprobó la Ley de Matrimonios Homosexuales. Unas 4.500 parejas contrajeron matrimonio durante el primer año de vigencia (2005) de la ley. El número de matrimonios entre parejas del mismo sexo es de alrededor el 2,16% del total.

Número medio de miembros por familia

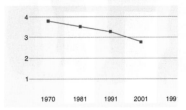

Las relaciones padres e hijos

- Según un estudio de la Fundación Santa María, la autoridad de los padres se ha debilitado en los últimos 25 años, la convivencia familiar está en regresión y los padres son cada vez menos exigentes con sus hijos.
- El 53% de los padres es flexible en cuestiones de disciplina.
- El 68% de las parejas considera obligación de los padres procurar la felicidad y el bienestar de sus hijos.
- La familia es para el 90% de los jóvenes de entre 12 y 18 años la institución en la que más confían.
- La maternidad es causa de problemas laborales para al 80% de las trabajadoras, sobre todo entre jóvenes de 25 a 35 años.
- El 43% de las parejas con niños menores de dos años confía su cuidado a guarderías.
- El número de hijos nacidos fuera del matrimonio ha pasado del 9,6% de los nacidos en 1990 al 31,7% en 2008.
- La ratio de cesáreas en España es muy alta: 22,2% en hospitales públicos y 36,6% en privados.
- El 80% de las madres dan el pecho a sus hijos hasta los tres meses de edad, porcentaje que desciende al 52,5% transcurrido ese tiempo y al 36% a los seis meses
- Aumenta la violencia ejercida por los hijos contra los padres.

Las cualidades más valoradas por los padres son la honradez de sus hijos y su esfuerzo en el estudio. Valores muy apreciados son también la capacidad de diálogo para resolver conflictos, el rechazo de la violencia, la firmeza en la consecución de objetivos, la cultura y el sentido estético, la solidaridad y la independencia de pensamiento. La religiosidad aparece entre las cualidades menos valoradas.

La formación y los estudios

- El analfabetismo es prácticamente inexistente en España.
- Madrid, Navarra y el País Vasco cuentan con los índices más altos de población con formación superior, mientras que los más bajos se dan en Andalucía, Extremadura y Castilla-La Mancha.
- España es el país de la Unión Europea que, proporcionalmente a su población, cuenta con el mayor número de universitarios.
- En el curso 2007-2008 hubo 7.205.890 alumnos en educación no universitaria y 1.381.749 en universitaria.
- El número de docentes (2006-2007) de infantil, primaria y secundaria fue de 623.974, y de 107.905 el de profesores universitarios.
- El índice de fracaso escolar es de casi el 30% y del 34% de alumnos que no terminan el Bachillerato.
- Solo el 21% de los alumnos elige Formación Profesional.
- El porcentaje de alumnos extranjeros es el 8,4% del total.

**El 21% de la población ha realizado estudios superiores.
El 23% tiene estudios medios.
El 95% considera muy importante dominar al menos una lengua extranjera.**

Previsión del número de alumnos en Enseñanzas de Régimen General para el curso 2007–08	
Educación no universitaria	7.205.890
E. Infantil	**1.620.515**
E. Primaria	**2.603.175**
E. Especial	**29.555**
ESO	**1.826.825**
Bachillerato	**625.275**
Formación Profesional	**500.545**
Educación Universitaria	1.381.749
TOTAL	**8.586.639**

Datos y cifras. Curso escolar 2007/2008. MEC.

Índices de lectura

- El porcentaje de lectores entre la población mayor de 14 años es del 58,1%, del 42% el de lectores frecuentes, del 16,1% el de ocasionales y del 41,9% el de no lectores.
- Las mujeres leen más (59,60%) que los hombres (51,40%).
- A mayor edad, menos lectores: el porcentaje de lectores entre la población de entre 10 y 13 años es del 90,3%, seguidos por los jóvenes de entre 14 y 26 años (72,10%) y los comprendidos entre los 25 y los 34 años de edad (66,10%).
- Se lee principalmente novela.

(Fuente. Plan de Fomento de la Lectura 2006-2007)

"Una mujer joven, con estudios universitarios, que vive en grandes ciudades y lee novela, es el perfil del lector español, según se desprende de los datos del balance del Plan de Fomento de la Lectura entre los años 2004 y 2007.

La conclusión principal de este estudio es que en los últimos años ha aumentado la actividad lectora en España, del 54% de la población que leía en 2001 se pasó a un 55,5% en 2006. Esto ha ocurrido a pesar de que existen diferencias importantes en el acceso a la lectura de los distintos colectivos de la población dependiendo de factores como el sexo, la edad o la ocupación".

(En "Lector español medio: mujer joven urbana con estudios universitarios". elmundo.es.3-1-2008)

- El 81% de los lectores de libros se declara también lector de periódicos.
- El consumo de periódicos es de unos 118 ejemplares cada 1.000 habitantes.
- En España existen 52 Bibliotecas Públicas del Estado, más las municipales, universitarias, de los ministerios y diversos organismos, y 4.280 librerías.

Las ciudades

La mayoría de las ciudades españolas tienen un origen remoto -algunas de ellas proceden incluso de época prerromana- y son, por tanto, resultado de un dilatado proceso histórico, de ahí la gran riqueza y variedad de sus monumentos y tesoros artísticos.

La Giralda. Sevilla

Ciudades más pobladas de España	
Madrid:	3.273.049
Barcelona:	1.619.337
Valencia:	809.267
Sevilla:	704.198
Zaragoza:	700.765
Málaga:	577.095
Murcia:	441.345
Las Palmas de Gran Canaria:	383.308
Palma de Mallorca:	509.116
Bilbao:	355.731

Áreas metropolitanas más pobladas	
Madrid:	6.043.031
Barcelona:	5.012.961
Valencia:	1.556.691
Sevilla:	1.508.605
Málaga:	871.591
Bilbao:	910.298
Avilés–Gijón:	861.201
Alicante–Elche:	800.000
Zaragoza:	700.765

La Alhambra. Granada

España siglo XXI

Madrid

Templo de Debod

Cocido madrileño

Plaza Mayor

Museo del Prado

Puerta de Alcalá

Plaza de Cibeles

El Oso y el Madroño,
símbolos de Madrid

Torre Caja Madrid

Capital del Estado desde el siglo XVI

- La ciudad de Madrid está situada en el centro geográfico de la Península. Su clima es de carácter continental.
- Es sede del Gobierno.
- Es la gran capital política, económica y cultural.
- En 2001 fue Capital Mundial del Libro.
- Sus más bellos monumentos son de los siglos XVII y XVIII: Ayuntamiento, Plaza Mayor, Palacio Real, Puerta de Alcalá, Museo del Prado...
- Alberga una de las mayores concentraciones de museos del mundo: Prado, Nacional de Arte Reina Sofía, Thyssen-Bornemisza, Real Academia de Bellas Artes de San Fernando, del Ejército, Naval, Arqueológico Nacional, de América, Lázaro Galdiano, de la Ciudad, Romántico, de la Real Academia de la Historia, etc.
- Posee una de las mejores y más extensas redes de metro y de trenes de cercanías de Europa.
- Según datos de Eurostat, es la segunda capital más barata de la UE.
- Madrid aspira a ser sede olímpica en 2020.

No lejos de Madrid están situados los palacios reales (Reales Sitios) de La Granja, Aranjuez, Riofrío y el Monasterio de El Escorial, que es uno de los monumentos más emblemáticos de España.

Puerta de Europa

Barcelona

La Sagrada Familia

La Rambla

Vista panorámica de Barcelona

Casa Batlló

Puerto de Barcelona

La Barceloneta

Monumento a Colón

Estadio Olímpico

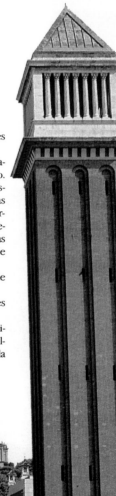

Montjuïc

Capital de Cataluña

- Está situada entre el mar y las montañas. Su clima es mediterráneo.
- Es una ciudad burguesa, industrial y portuaria, de racional urbanismo y excelente nivel de equipamiento.
- Su riqueza monumental es resultado de su gran historia: posee templos y palacios de todas las épocas -románicos, góticos, renacentistas, neoclásicos, modernistas y vanguardistas-, entre ellos el Monasterio de Pedralbes, la Catedral y la basílica de Santa María del Mar, las Atarazanas, el Palacio de la Generalitat y gran número de obras de Gaudí.
- Entre sus museos destacan el museo Nacional de Arte de Cataluña, el museo Picasso y el Contemporáneo.
- El Liceu y el Palau de la Música son importantes centros de la actividad musical del país.
- La ciudad celebró en 2002 el 150 aniversario del nacimiento de Gaudí y, en 2004, el Fórum Universal de las Culturas, a fin de promover la investigación, la innovación y la reflexión mediante el diálogo intercultural.

España Siglo XXI

Valencia
La tercera ciudad de España

- Valencia es la tercera ciudad de España por su número de habitantes, actividades económicas y dinamismo cultural.
- El Instituto Valenciano de Arte Moderno (IVAM), el Museo de Bellas Artes, la Ciudad de las Artes y las Ciencias, el Museo Valenciano de la Ilustración y la Modernidad y la Bienal de Valencia son exponentes del alto nivel de su oferta cultural.
- El Palau de les Arts, diseñado por el arquitecto Santiago Calatrava, aspira a convertirse en un importante centro mundial del arte y la cultura.
- Valencia organizó en 2007 la Copa América de Vela.

Ciudad de las Artes y las Ciencias

Lonja

Plaza del Ayuntamiento

IVAM

Otras ciudades de gran riqueza artística son:

- En Andalucía: Sevilla, arte almohade, gótico y barroco; Córdoba, califal; Granada, nazarí y renacentista; Úbeda y Baeza, renacentista.
- En Galicia: Santiago de Compostela, románico.
- En Castilla y León: Salamanca, plateresco; Burgos y León, gótico; Ávila y Segovia, románico y gótico.
- En Castilla-La Mancha: Toledo, mudéjar, gótico y gótico flamígero.
- En Cataluña: Gerona, gótico; Tarragona, ibérico, romano y gótico.
- En Extremadura: Cáceres, plateresco y gótico; Mérida: romano y visigodo.

Catedral de Santigo de Compostela

Alcázar de Segovia

Murallas de Ávila

El patrimonio artístico y urbanístico de España, uno de los más variados y ricos del mundo, no se limita a unas cuantas ciudades, sino que se halla distribuido por todo el territorio nacional en decenas de pequeñas ciudades y poblaciones. Ejemplo de esto son los pueblos blancos andaluces o los pueblos del Ampurdán (Cataluña), de original arquitectura rural y popular, e innumerables casas hidalgas, palacios, templos, monasterios, ermitas, castillos y fortalezas: Santillana del Mar (Cantabria); Albarracín (Aragón), Trujillo (Extremadura), Carmona y Vejer de la Frontera (Andalucía), Villanueva de los Infantes (Castilla-La Mancha) y El Burgo de Osma (Castilla y León), entre otros.

5 Nueva mentalidad...
nuevos comportamientos

Tendencias sociológicas

Como resultado del desarrollo económico, de la mundialización de los valores, de la revolución tecnológica y del auge de la sociedad de la información y de la cultura digital, las mentalidades de los españoles y sus formas de comportamiento han experimentado una profunda transformación desde comienzos del último tercio del siglo XX. Los cambios se han manifestado incluso en los hábitos lingüísticos, como en el caso de la generalización del uso indiscriminado del tuteo.

Las formas de comportamiento de los españoles son similares a las de sus vecinos europeos. El consumismo, la competitividad, el deseo de poder y el enriquecimiento rápido son valores en alza. Sin embargo, algunos sectores sociales, jóvenes sobre todo, consideran que es mejor vivir que poseer. Se comienza a valorar más la función social que la posesión de dinero.

* Existe una gran movilidad social y los límites entre las clases sociales son cada vez más difusos.
* Desciende el número de católicos en la misma medida que aumenta el de indiferentes, agnósticos y seguidores de otras religiones, credos y sectas del más variado signo.
* La mujer ha accedido masivamente al trabajo y sus actitudes e intereses apenas difieren de los hombres.
* La mayoría admite las relaciones sexuales prematrimoniales.
* El aborto está despenalizado en caso de malformación del feto, de embarazo por violación y de peligro para la salud física o psíquica de la madre.
* Después de la familia, los españoles conceden gran importancia al trabajo (90%).
* Prefieren la variedad a la uniformidad y se manifiestan respetuosos con las diferencias, con los estilos de vida y con la moral de los demás.
* El 74% está de acuerdo con el reconocimiento de las diferentes identidades que forman España; el 20% se manifiesta a favor de la identidad única.
* Los españoles son antibelicistas, como se puso de manifiesto en el rechazo del 91% de la población a la intervención militar en la guerra de Irak que dio comienzo a principios de 2003.
* Los hijos se toman cada vez más tiempo para abandonar el hogar de los padres.
* Las ofertas de trabajo, los estudios, las titulaciones universitarias y las formas de ocio se han diversificado.
* Se cambia con frecuencia de pareja, de empresa y de domicilio.
* El 47% "tiende a confiar" en el Parlamento, mientras que el 43% "tiende a no confiar". La opinión sobre la política y los políticos es muy negativa: un 61% "tiende a no confiar" en ellos. La Justicia tampoco tiene buena imagen, no así las Fuerzas Armadas, en las que confía un 71%.
* Se valora más la habilidad para sobrevivir que el trabajo y el esfuerzo. Igualmente se sobrevalora la juventud. El 64% de los españoles cree que a los 50 años ya no se es eficiente en el trabajo.

Persiste en la sociedad española cierto grado de resistencia a reconocer el mérito de los demás.

Los españoles suelen desconfiar de la Administración, son muy críticos con sus gobernantes, se resisten a asumir como cuestión propia los asuntos colectivos y evocan más sus derechos que sus obligaciones.

Las relaciones interpersonales

Según un estudio del Observatorio Europeo del Racismo y la Xenofobia, los españoles se declaran multiculturales, respetuosos con las minorías y solidarios con las víctimas de las guerras y de las catástrofes naturales. España es uno de los primeros países en donación de órganos: 34 donaciones por millón de habitantes en 2002.

El 61,8% piensa que en España hay demasiados inmigrantes.

• Aumentan la comunicación y las relaciones interpersonales, pero crece el número de personas solitarias.

• Son muy bajos los índices de implicación política y de afiliación a los partidos políticos y a los sindicatos.

• La participación ciudadana se lleva a cabo preferentemente a través de asociaciones no gubernamentales(ONG).

• La mayoría (90%) considera el amor como el factor esencial en las relaciones de pareja, seguido de la fidelidad (79%) y la sexualidad (74%).

El 79,5% de las parejas otorga gran valor al amor y al respeto mutuo y el 72%, al matrimonio. Más del 50% da gran importancia a las relaciones sexuales satisfactorias, el 36,1% a tener hijos y el 29,6% a la participación igualitaria en los trabajos domésticos.

(Fuente: INE)

EL sentimiento nacional

Se asiste en nuestros días a un debilitamiento del sentimiento nacional, en beneficio de nuevas patrias (autonómicas, regionales, locales) o de diversa índole -clubes de fútbol, por ejemplo-, que levantan encendidas pasiones.

Según informes de la UNESCO, los españoles se identifican menos con España que con su región. El 85% de los ciudadanos prefiere vivir en su comunidad de origen, y entre los que estarían dispuestos a cambiar de residencia, el 21,4% elegiría Andalucía, seguida de Cataluña (12,9%) y de la Comunidad Valenciana (9,85).

Solo el 6% está de acuerdo con la frase "mi país es el mejor", mientras que la media mundial es del 18%. Sin embargo, según datos del CIS, el sentimiento nacional es mayoritario: el 82,2% de los españoles se siente orgulloso de serlo, frente al 12% que manifiesta sentirse poco o nada español

Izado de bandera de España

Plaza de Colón

Homenaje a la bandera

Selección española de fútbol

Día de la Hispanidad. Homenaje a la bandera

Manifestación en Paseo de La Castellana. 2007.

En caso de que España fuera atacada por un ejército extranjero, el 20,5% asegura que participaría voluntariamente en su defensa, el 25,3% afirma que probablemente participaría y el 30% rechaza su participación.

El 51,4% de los ciudadanos tiene una buena opinión de las Fuerzas Armadas y el 80% considera al Ejército profesional como el instrumento más adecuado para la defensa del país.

Las actitudes ante la integración europea y la globalización

Ante Europa

Según fuentes de la UE, a comienzos de siglo el 63 % de los españoles consideraba positivo ser miembro de la UE, el 68% apoyaba la moneda única y la política exterior común y el 58% aceptaba la inclusión de nuevos miembros comunitarios.

El pueblo español era, por tanto, favorable a la integración europea, sobre todo a la económica, pero es bajo todavía el porcentaje de españoles que se sienten ciudadanos europeos.

Público.es

Los españoles sienten más desapego respecto a Europa, sus instituciones y sus problemas que hace cinco años, cuando se celebraron las últimas elecciones al Parlamento Europeo, hasta el punto de que en este tiempo ha caído diez puntos el porcentaje de quienes opinan que la UE beneficia a España. Así se desprende de la última encuesta preelectoral del Centro de Investigaciones Sociológicas (CIS) difundida el pasado 21 de mayo.

En ella se hacen a los ciudadanos las mismas preguntas sobre su actitud ante Europa que hace justamente cinco años, en otro muestreo del CIS con motivo de las anteriores elecciones a la Eurocámara. La pérdida de interés e incluso de confianza en las instituciones europeas se detecta en la mayoría de las respuestas analizadas.

Así, un 73,8% de los encuestados cree que las decisiones del Parlamento Europeo afectan "mucho" o "bastante" a los españoles. Eran más lo que pensaban así en 2004: el 76% de los consultados.

En consonancia, hay más españoles que niegan influencia a la Eurocámara, porque un 17% opina que sus acuerdos repercuten "poco" o "nada" en sus vidas, y hace cinco años lo creía así el 12,9 por ciento.

La consideración que merece a los ciudadanos el Parlamento Europeo se mantiene en un nivel alto, aunque ha experimentado un ligero desgaste en el último lustro.

Antes de las últimas europeas el 70,7% afirmaba que el papel de esta institución era "muy" o "bastante" importante; ahora el porcentaje baja al 70,2%.

En la parte negativa, son más los que quitan peso a esta Cámara, porque el 17,1% dice que es "poco" o "nada" importante, y en 2004 era el 13,3%, siempre según las encuestas del CIS.

(De Los españoles sienten más desapego hacia Europa que hace cinco años.
EFE. Público.es. 1-6-2009)

Una sociedad más laica

- La sociedad española se aleja de la religión católica: el 75,8% se declara católico, pero solo un 21,4% es católico practicante; el 13,1% se declara no creyente, el 6,4% ateo y el 2,2% creyente de otra religión.
- En 2001 había un total de 1.800 seminaristas, 1500 en 2005 y 1.400 en 2011. En 2005 había un 7% menos de monjas que en el año 2000.
- La revalorización de las tradiciones ha estimulado la religiosidad popular de las romerías, de las procesiones de Semana Santa y de las festividades vinculadas a los santos patronos de pueblos y ciudades. La Semana Santa es un fenómeno de masas, estético y multidimensional más que religioso.
- La oferta de la enseñanza de la religión es obligatoria en los centros escolares, pero de elección voluntaria por los alumnos. La asistencia de alumnos a clase de religión ha pasado del 79,30% en el curso 2005-2006, al 71% en el curso 2010-2011.
- Solo el 11% de los menores de 30 años se declara religioso, a pesar de que el 92% se ha educado en un ambiente religioso.

- La iglesia se encarga del mantenimiento del 33% de los monumentos artísticos españoles, tarea en la que invierte unos 50 millones de euros al año.
- Los musulmanes suponen el 10% de los extranjeros residentes en España. Unos 30.000 son radicales confesos.
- Dos de cada tres españoles apoyan una ley nacional que prohíba el velo integral. El Senado aprobó (junio 2010) la moción para prohibir el burka y el niqab en los espacios públicos.
- Religiones oficialmente reconocidas "de notorio arraigo" y en pie de igualdad con la mayoritaria, el catolicismo, son el protestantismo, judaísmo, testigos de Jehová y budismo. Casi dos millones de españoles son de confesión protestante.

Penitentes en Semana Santa

LA RAZÓN.es

Durante los últimos ocho años, el Gobierno socialista ha impulsado una cantidad ingente de leyes de gran trascendencia y calado social que han sido la consecuencia de un proyecto de transformación de España. Un proyecto de ingeniería social que ha buscado la implantación de la ideología de género, el relativismo ético y el laicismo en los ámbitos de la vida y la familia y en la educación de las futuras generaciones. «Transformaciones de fondo que hubieran sido impensables hace poco años», tal como señala el mismo PSOE.

Fruto de esta ofensiva hemos asistido a una inusitada y compulsiva agresión legislativa a la familia española que ha tratado de derribar algunos de sus fundamentos y expresiones más esenciales: el matrimonio entre el hombre y la mujer, la importancia de la familia, el derecho a la vida en todas sus manifestaciones o la dignidad del ser humano desde su concepción, incluida la fase embrionaria. A esto hemos de sumar que España sea el país de la UE 27 que menos ayuda y protege la familia tanto en organismos como en dotaciones presupuestarias o planes de familia que constata, también en esta dimensión, la nula voluntad política de ayudar a la institución familiar.

(De 3-Familia y aborto: Proteger la vida frente al laicismo, por Eduardo Hertfelder. Larazon.es. 1-11-2011)

La cultura política

- Los modestos índices de afiliación a los partidos políticos y a los sindicatos se atribuyen a la pervivencia de la cultura política de la dictadura que acostumbró a la ciudadanía a permanecer indiferente ante las cuestiones públicas.
- Excepto en el caso del nacionalismo radical vasco, la intolerancia y el autoritarismo han desaparecido de la vida política española y los partidos centristas, PSOE, PP y CiU, son los más votados.

El consumismo cultural

Teatro Real de Madrid

El consumismo se ha extendido también a la cultura, que se ha comercializado. Gozan de gran popularidad los grandes espectáculos y las puestas en escena que combinan sonido, imágenes y diversas formas musicales, los lenguajes de la publicidad, los cómics, el cartelismo, el diseño y la moda, las artes ornamentales y la artesanía de consumo, los adornos corporales, etc.

Aumenta el número de asistentes a festivales musicales de calidad como los de Peralada, Santander, Granada y Las Palmas, así como a óperas y conciertos en escenarios de gran prestigio como el Liceo de Barcelona, el Teatro Real de Madrid y la Maestranza de Sevilla.

el Periódico de Catalunya

"El pleno del Ayuntamiento de Barcelona, con 21 votos a favor, 15 en contra y dos en blanco, se declaró ayer "contrario a la práctica de las corridas de toros". Fue un gesto, por ahora, más que nada simbólico, porque la administración municipal no tiene competencias para suspender los espectáculos taurinos. Pero la declaración, sometida a votación secreta, es una victoria que llena de esperanza a los colectivos proteccionistas".

(En *Un pleno de BCN dividido se declara "contrario a las corridas de toros"*, de Carles Cols ©, en *el Periódico*, Ediciones Primera Plana, S.A. 7-4-2004)

- El aumento del nivel de vida y educacional favorece el turismo cultural.
- Los espectáculos tradicionales y las manifestaciones de la cultura popular atraen cada vez más el interés de los españoles.
- Los deportes-espectáculo, el fútbol sobre todo, atraen a numerosos españoles.
- Decrece el número de asistentes a las corridas de toros y al cine, cuya cuota de mercado es de alrededor del 15%, y aumenta el de visitantes a los museos, conciertos y representaciones teatrales.
- La cadena pública estatal no emite publicidad y compensa la falta de ingresos mediante tasas impuestas a las privadas y a los operadores de telefonía móvil.
- La telebasura es un fenómeno de masas muy generalizado en las cadenas privadas.
- La Ley General Audiovisual prohíbe la violencia y la pornografía; dispone también que los contenidos que puedan resular perjudiciales para el desarrollo de los niños solo podrán emitirse entre las 22.00 y las 6.00 horas.

SGAE: Sociedad General de Autores y Editores.

La transformación de los hábitos alimentarios

La cocina española es extremadamente variada, de manera que no existe un plato nacional. Sus ingredientes son los tradicionales en el mundo mediterráneo: cereales, aceite de oliva, verduras, pescado, legumbres, fruta, etc., todos ellos de efectos muy saludables. La escuela culinaria tradicional española se ha renovado con cocineros de prestigio internacional como Juan Mari Arzak, Ferrán Adriá y Martín Berasategui.

De gran calidad son los productos españoles derivados del cerdo, especialmente el jamón serrano -el jabugo sobre todo-, así como los quesos. También destacan los vinos y cavas, entre ellos los de Ribera del Duero, Rioja, Somontano, Penedés, Priorato, Jerez, Navarra y Galicia.

Caldos españoles

Jamón de Jabugo

le nouvel Observateur

"¿Los cocineros españoles son los mejores del mundo? Arthur Lubow publicó en el *New York Times*, en agosto de 2003, un vibrante homenaje a la nueva gastronomía española y a su héroe Ferrán Adriá (...), que, al menos, tuvo el mérito de confirmar lo que todos los observadores ya saben: que desde hace algunos años España está realizando una movida culinaria gracias a cocineros de gran creatividad y talento. La cocina española de autor, elevada a la categoría de arte contemporáneo, tendrá pronto su "Food Culture Museum" en Barcelona, en donde 2005 será el Año de la Gastronomía (...)

A sus espectaculares creadores, España ofrece productos de calidad, como es el caso del aceite. Con cerca de dos millones de hectáreas plantadas, el país abastece a la mayoría del embotellado industrial. Así, un aceite comercializado con etiqueta italiana, embotellado en la Toscana, puede contener hasta un 70% de producto español".

(En *Movida en cuisine*, de Marjorie Alessandrini. *Le Nouvel Observateur*. N° 20057, del 8 al 14 de abril de 2004. Traducción de S.Quesada)

Ferrán Adriá

Los hábitos alimentarios están experimentando una profunda transformación. El ritmo y las necesidades de la vida moderna está imponiendo el abandono progresivo de la dieta mediterránea tradicional. El consumo de legumbres, fruta, verdura y pescado desciende en la misma medida que crece el de precocinados, carne, embutidos y bollería industrial. Los niños ingieren demasiados alimentos grasos y dulces y, en general, se come más de lo que se necesita, de manera que el peso medio de los españoles se incrementa. El 43% de las jóvenes y el 27% de los jóvenes creen estar gordos o un poco gordos. El 14% de los niños y jóvenes entre 2 y 25 años tiene problemas de sobrepeso.

Fabada, plato regional asturiano

Paella, plato regional valenciano

¿Cómo se ven los españoles a sí mismos?

Los españoles se ven a sí mismos como un viejo pueblo que ha contribuido decisivamente al enriquecimiento del patrimonio cultural mundial y que ha realizado un gran esfuerzo para situarse entre los países más desarrollados del mundo.

Son conscientes de la relevancia histórica y presente de su arte y de su cultura, del auge creciente de sus lenguas, del valor ejemplificador que tiene la organización político-administrativa del Estado de las Comunidades Autónomas para la Europa de las regiones, y del papel de pioneros que han desempeñado en el reconocimiento de las identidades, lenguas y culturas vernáculas y regionales.

6 Economía,
infraestructuras y Estado de bienestar

El príncipe Felipe y Alberto Ruiz-Gallardón visitando unas obras   Trabajos de mejora de las infraestructuras   Playa de Ibiza

- Hasta 2007 la economía española había escalado posiciones de liderazgo en banca, ferrocarriles, energía eólica y telecomunicaciones. Se había logrado aumentar las exportaciones y reducir el paro y el déficit a los niveles marcados por la UE. La economía se basaba fundamentalmente en sol y ladrillo, es decir, en el turismo y la construcción. Entre 1997 y 2007 se construyeron en España más viviendas de las que deberían construirse en 20 años. Entre 2005 y 2006 se vendieron 900.000 viviendas. Cada año se comenzaba la construcción de un millón de nuevas viviendas, más que en Francia, Alemania e Italia juntas. España había logrado situar su PIB entre los mayores del mundo y ocupar el puesto número ocho entre las potencias más ricas. Pero la crisis financiera internacional, unida a la excesiva exposición al sector inmobiliario, acabó con el llamado "milagro económico español". La riqueza era sobre todo aparente, pues cada día estaban los españoles más hipotecados y endeudados.
- Los problemas fundamentales de la economía española son: enorme deuda privada, crecimiento muy débil, elevado déficit público, déficit exterior, elevada tasa de paro, débil estructura fiscal, escasa recaudación, falta de competitividad y pérdida de crédito exterior.
- El PIB español supone el 12% del comunitario. El endeudamiento, incluidos el público, el de los bancos y los particulares, es 2,8 veces el PIB. En el *ranking* de las mayores economías mundiales, España ocupaba el puesto 11 en 2000 y el 12 en 2010. Por su nivel de riqueza, en 2000 ocupaba el nivel 26 y el 27 en 2010. El PIB por habitante en 2010 en paridad de poder de compra era de 29.652 dólares.
- La economía sumergida supone el 23,3% del PIB.
- En la exportación de bienes, España aumentó su participación desde el 1,73% en 2000 al 1,77% en 2009.
- Hasta hace poco España ha sido destino preferente para las inversiones de muchas compañías multinacionales atraídas por los bajos costes laborales y las fuertes expectativas de crecimiento.
- Los principales productos de exportación son la automoción y los agroalimentarios.
- Como resultado de la crisis se han perdido un millón de puestos de trabajo en la construcción, y el importe de las hipotecas es superior al valor de la viviendas en el mercado.
- La inflación rozaba el 3% en 2010.
- Los medios financieros internacionales advierten de la pérdida de confianza en la deuda de los cinco países de la Unión Europea con más altos niveles de déficit fiscal y deuda pública, España entre ellos.
- La reforma laboral aprobada en junio 2010 tuvo como objetivo prioritario impulsar la creación de empleo estable y de calidad y promover la flexibilidad de las empresas para competir en el mercado.
- En 2011, el pleno del Congreso aprobó la primera reforma constitucional, con el fin de limitar el déficit público y cumplir con el Pacto de Estabilidad y Crecimiento de la UE, que lo cifra en el 3% del PIB en 2013. El Gobierno se vio obligado a rebajar los sueldos de los funcionarios y suspender la revalorización de las pensiones. Las medidas de austeridad presupuestaria suponen un obstáculo para la recuperación económica y provoca fuerte malestar social, que se traduce en huelgas y manifestaciones callejeras como las de "los indignados"

Las fuentes de energía

ueva estación de metro del aeropuerto de Madrid-Barajas   Personal de Protección Civil   Obras de la nueva autopista M-50

España es un país deficitario en recursos energéticos: carece de petróleo -sólo se extrae de suelo español el 0,18% del que se consume-, gas -la producción de gas local supone el 0,16% de las necesidades- y el carbón, caro y subvencionado, es de bajo nivel calorífico.

* Se importa el 85% de la energía. La dependencia de los combustibles fósiles (petróleo, gas, carbón) es del 75-80% frente al 50% de la UE. El petróleo proporciona el 50% de la energía que se consume.
* Solo entre enero y noviembre de 2010, la adquisición de petróleo supuso un gasto de 20. 405 millones de euros, y la factura pagada por productos derivados del petróleo ascendió a 39.506 millones. En la compra de petróleo se invierte el 38% de la riqueza.
* Fuentes energéticas de gran futuro son las renovables: solar, eólica, geotérmica, mareomotriz.
* En 2010 las energías hidráulica, eólica, solar y el resto de las limpias aportaron el 47% de la electricidad.
* En 1995 las renovables, básicamente la hidráulica, representaban el 15% de la producción bruta de electricidad; el 28,7% en 2009, el 47% en 2010. En 2010 suponían el 12% de la energía primaria.
* La energía nuclear no ha gozado nunca de buena imagen en España. En 1983 entró en vigor la moratoria nuclear y se detuvo la construcción de centrales.
* El Gobierno autorizó (febrero 2011) el funcionamiento de las centrales durante más de 40 años, plazo para el que fueron diseñadas, con el argumento de que "vida de diseño" y "vida útil" son diferentes; pone como ejemplo el caso de los EE UU, que ha decidido elevar la "vida útil" a 60 años.
* La contribución de la energía nuclear a la producción de electricidad es del 22% (2009).
* Los españoles derrochan el 10% de la energía que consumen.
* España exporta el 8,5 % de la energía que produce.
* La importación de electricidad de origen nuclear procedente de Francia es el argumento más utilizado por los defensores de la energía atómica. Últimamente, sin embargo, España exporta a Francia más energía de la que importa. El grueso de las exportaciones de energía eléctrica tiene como destino Marruecos y Portugal.
* La Ley de Economía Sostenible (2011) tiene en cuenta la importancia de la rehabilitación eco-energética, de las energías renovables, de los cultivos agroenergéticos y de las máquinas eco-eficientes.

Energía eólica

Energía solar

Puesto de mando de una central nuclear

Energía nuclear. Vandellós

Las actividades económicas

Autobús turístico de Madrid

Materiales para aprender español como lengua extranjera (editorial Edelsa).

Sectores de producción

- El sector servicios es el más desarrollado y el que más empleos genera, como corresponde a una sociedad moderna y postindustrial.
- La productividad española es un 20% inferior a la de la UE. El tejido empresarial del país se basa sobre todo en las PYMES. La productividad del trabajo en las empresas de menos de 20 empleados es aproximadamente la mitad de las que emplean a más 250 empleados.
- A causa del crecimiento de los costes laborales, la competitividad internacional de España ha decrecido entre 2000 y 2009. En 2010 bajó del puesto 33 al 42 en competitividad. En ese año los medios internacionales valoraron positivamente su adecuación tecnológica e infraestructuras.
- La inflexibilidad del mercado laboral español se señala como factor disuasorio para los inversores.
- Cerca de medio millón de españoles tiene un segundo empleo. Los más pluriempleados son los profesionales de entre 30 y 44 años. Un 71,83% de las mujeres y un 74,30% de los hombres reconocen que querrían tener un segundo trabajo.

Industrias culturales

- Cada vez tienen más relieve las industrias culturales –cine, música, libros, etc.- y las relacionadas con el ocio, que son ya la cuarta actividad económica del país y representan el 6% del PIB.
- La edición y distribución de libros es una dinámica industria cultural que ocupa el quinto lugar entre todas las del mundo y el tercero en Europa. Hispanoamérica, la UE y Estados Unidos absorben el 92% de la exportación de libros españoles.

Español Lengua Extranjera (ELE)

- La expansión internacional de la lengua española y las actividades económicas con ella relacionadas representan una importante aportación al PIB.

Ocupación de la población por sectores:

Servicios: 72,4%; Industria: 14,2%; Construcción: 9,2%; Agricultura: 4,2%.

El turismo, sector clave de la economía

Número de turistas en 2001:	50.100.000
Número de turistas en 2002:	52.377.000
Número de turistas en 2003:	52.477.000
Número de turistas en 2004:	52.490.000
Número de turistas en 2005:	55.060.000
Número de turistas en 2006:	58.040.000
Número de turistas en 2007:	59.200.000
Número de turistas en 2008:	57.400.000
Número de turistas en 2009:	52.100.000
Número de turistas en 2010:	52.600.000
Enero–septiembre 2011:	45.800.000

- España es una potencia turística de primer orden, tanto por el número de visitantes como por los ingresos económicos que proporcionan.
- El tejido empresarial turístico español está muy atomizado. Solo el 18% de los hoteles está integrado en grandes cadenas.
- El turismo da empleo al 13% de la población activa, y la tasa de paro en esta industria está cinco puntos por debajo de la media nacional.
- El gasto medio por turista es de unos 950 euros. Británicos y alemanes son los más consumidores.
- La capacidad de España para acoger turistas es enorme: cerca de 800.000 plazas junto a las playas. Las plazas costeras han aumentado casi un 18% en diez años.
- Aunque España es sinónimo de sol, golf, gastronomía, naturaleza, buen tiempo y, para muchos, alcohol a buen precio, fiestas y *top less*, cada vez alcanza más cotas de mercado el turismo cultural, rural y deportivo.

Turistas en las islas Baleares

Playas de Murcia

Según la bitácora "Off to Europe", que comparte una pequeña guía con las quince cosas que los turistas deberían hacer en España (25/06/2010) son:

1. Contemplar el *Guernica*, de Picassso.
2. Visitar los museos madrileños Nacional de Arte Reina Sofía, Nacional del Prado y el Thyssen-Bornemisza.
3. Participar en la Tomatina, en Albuñol (Valencia).
4. Correr los Sanfermines en Pamplona.
5. Asistir al Festival de Música Sonar, de Barcelona.
6. Descubrir Barcelona.
7. Experimentar el flamenco en Andalucía.
8. Participar de la *Movida* de Ibiza.
9. Visitar la Alhambra de Granada.
10. Disfrutar la Costa Brava.
11. Recorrer el Camino de Santiago.
12. Descubrir Cádiz.
13. Contemplar la Semana Santa, en especial la de Málaga.
14. Contemplar la montaña-volcán del Teide.
15. Degustar las tapas y el vino.

- Las regiones y comunidades que más turistas reciben son Cataluña, Baleares, Canarias, Madrid, Valencia y Andalucía.
- El grado de satisfacción de los visitantes extranjeros es de de 7,7 puntos sobre 10. Destacan como atractivos de España la alta calidad de los alojamientos y la hospitalidad de sus habitantes.

Centro de Arte Reina Sofía
Madrid

Museo del Prado
Madrid

El comercio

- La balanza comercial española ha presentado un saldo negativo en los últimos años.
- La tasa de cobertura de las exportaciones sobre las importaciones es de alrededor de un 75%.
- Los ingresos por turismo y los beneficios de las inversiones en el exterior compensan el déficit de la balanza comercial.
- Por áreas geográficas, la UE es el más importante cliente y proveedor de España.
- Mercados en crecimiento para los productos españoles son los países del Magreb, China, Japón, Corea y los países del centro y del este europeos.

EL PAIS

"Las exportaciones españolas a los cinco países del Magreb rebasaron, por primera vez, en el 2002, las ventas a toda Suramérica, los 13 países situados al sur de Panamá. La crisis de ese subcontinente y el vigor del comercio con el norte de África explican ese dato sorprendente en un año en el que las relaciones de España con Marruecos atravesaron una muy mala racha."

(En *El Magreb rebasa a Sudamérica*, de Ignacio Cembrero. *El País*. 11-5-2003)

Cultivo de naranjas

Agricultura, pesca e industria

- España se encuentra entre los países europeos de mayor renta agraria de la UE (14% del total).
- El número de trabajadores agrícolas está en regresión. La España rural se está quedando despoblada a causa del envejecimiento y masculinización de su población. Menos del 20% de la población española vive en el 90% del territorio. Solo el 34% de la población rural tiene menos de 30 años.
- España es el primer productor mundial de aceite de oliva, el primer país de la UE en productos agrícolas biológicos, el tercer productor de cítricos y de vino y el cuarto por el número de ensayos de cultivos científicos.
- La tecnificación y la aplicación en los cultivos de sistemas de producción industrial han convertido España en la huerta de la UE.
- La producción de frutas y hortalizas supone el 37% de la producción final agraria. España dedica a este cultivo 50.000 hectáreas.
- Las ventas en el exterior de productos agrícolas y agroalimentarios suponen el 15% del total de las exportaciones.
- La desproporción entre los costes de producción y los precios de venta al público es el principal problema de los agricultores.

Pesqueros faenando

Campo de olivos

Exposición de automóviles

- La industria española está muy diversificada, destacando la producción de vehículos, de coches fundamentalmente, de los que España es una de las primeras potencias productoras y exportadoras. Se exporta el 88,8% de la producción de vehículos industriales y de automoción.
- Industrias relevantes son también la siderúrgica, alimentaria, química, textil, del calzado, cemento, vidrio, juguetes, cueros y pieles.
- La producción ganadera supone casi el 10% de la comunitaria.
- España es el tercer productor de carne de la UE, el cuarto de huevos y el sexto de leche.
- La flota pesquera española es la más potente de la UE. El número de barcos pesqueros ha pasado de casi 18.000 a principios de siglo a 11.116 en 2009, a causa de las limitaciones impuestas a la pesca con el fin de permitir la regeneración de los caladeros.
- Las capturas españolas suponen alrededor del 16,5% de las europeas.
- Los españoles son grandes consumidores de pescado, de ahí que la producción pesquera española no alcance a cubrir ni el 40% del consumo.

El tejido empresarial

El Corte Inglés en Lisboa

- A mediados de la primera década del siglo XXI, el número de empresas que operaban en España había superado los tres millones, si bien el 51,3% carecía de asalariados y solo el 5,5% del total empleaba a 20 o más trabajadores.
- Las más numerosas eran las del sector servicios (50,9%), excluidos los comercios, seguidas por las comerciales (27,5%), construcción (13,6%) e industriales (8%).
- El 18% de las empresas realiza acciones formativas que luego desgravan, y el 88% de las grandes empresas imparte cursos para sus empleados. El 19% de los asalariados del sector privado participa en cursos de formación. Industria y servicios son los sectores con los empleados más formados.

PIB por ramas de actividad	
Agraria y pesquera:	3,1%
Energética:	3,2%
Industrial:	15,4%
Construcción:	8,6%
Servicios:	60,0%
Servicios de mercado:	46,7%
Servicios de no mercado:	13,3%
Impuestos netos sobre los productos:	9,7%
IVA que grava los productos:	6,1%
Impuestos netos sobre productos importados:	0,2%
Otros impuestos sobre productos:	3,4%

Ave tren alta velocidad

- Entre las 50 mayores empresas mundiales por capitalización figuran dos españolas, Telefónica y Banco de Santander.
- Las cien primeras empresas industriales generan casi el 50% de las exportaciones. Repsol es la compañía petrolífera española más importante. CASA, empresa de construcciones aeronáuticas, participa

en la construcción del Airbus y exporta sus productos prácticamente a los cinco continentes. *El Corte Inglés* es la cadena más importante en el sector de grandes almacenes. *Inditex*, propietaria de *Zara*, especializada en la fabricación de ropa de diseño de consumo masivo, dispone de centros comerciales en un gran número de países. *Iberia* es una de las compañías aéreas más rentables de la UE. *Telefónica* encabeza el mercado español en el ámbito de las telecomunicaciones. *ACS* y *Dragados* constituyen el primer grupo constructor y de servicios de España y el tercero de Europa. *Chupa-Chups* se ha erigido en uno de los líderes mundiales de la dulcería. Varios bancos españoles, entre ellos el *Bilbao-Vizcaya-Argentaria* (BBVA) y el *Santander Central Hispano* (BSCH) se encuentran entre los treinta primeros del mundo. *Iberdrola* y *Gas Natural* son grandes sociedades en el campo de la energía. Entre las empresas de la automoción destacan *SEAT, Ford España, Opel España, FASA Renault España* y *Citroën Hispania*.

Privatizaciones y fusiones

Puesto expositor de Telefónica

Con la aprobación en junio de 1996 del *Programa de Modernización del Sector Público Empresarial del Estado* dio comienzo la privatización de las empresas de titularidad pública y la desaparición de los monopolios. La Sociedad Estatal de Participaciones Industriales (SEPI) ha privatizado numerosas empresas y tiene previsto desprenderse de todas aquellas en las que hay capital público, excepto de la agencia de noticias *Efe*, de *RTVE* y de la minera *Hunosa*. España, como otros países europeos, se ha reservado el derecho a impedir -"acción de oro"- el control de las empresas estatales privatizadas por empresas extranjeras. Se fomentan las fusiones entre empresas a fin de elevar el nivel de calidad y de crear grupos competitivos en el interior y en el exterior. Las concentraciones empresariales están sometidas a las normas de la Ley de la Competencia, para evitar la aparición de grandes monopolios.

El crecimiento del consumo

- Hasta la crisis económico-financiera de 2008 el consumo crecía a una media anual del 6,3%, y el gasto en servicios se incrementaba a mayor ritmo que el de la adquisición de bienes.
- Crecía el gasto en vivienda y suministros domésticos, transporte, ocio y cultura.
- El consumo privado suponía el 60% del PIB y representaba tres cuartas partes del consumo total.
- Según Eurostat, España resultaba un 22% más barato que la media europea para comer, fumar y beber.

A qué destinan sus ingresos las familias españolas	
Vivienda y suministros domésticos:	26,92% del gasto
Alimentos y bebidas no alcohólicas:	19,25% " "
Transportes:	12,40% " "
Hoteles, cafés y restaurantes:	9,34% " "
Ropa y calzado:	7,28% " "
Ocio y cultura:	6,14% " "
Mobiliario, equipamiento doméstico y mantenimiento de la vivienda:	4,87% " "
Bebidas alcohólicas y tabaco:	2,71% " "
Salud:	2,42% " "
Comunicaciones:	1,94% " "
Enseñanza:	1,51% " "
Otros bienes y servicios:	5,22% " "

Ahorro, endeudamiento y fiscalidad

- A comienzos de siglo, el ahorro familiar tendía a bajar en la misma medida que aumentaba el consumo de bienes y servicios.
- La facilidad para conseguir préstamos y los bajos tipos de interés duplicaron el endeudamiento de los españoles en siete años. El 55% tenía contraído algún préstamo.
- La compra de vivienda era la principal responsable del endeudamiento de las familias, que llegaban a destinar hasta el 40% de sus ingresos al pago de la hipoteca. El 37% de los préstamos eran hipotecarios.
- El miedo al paro resultado de la crisis ha forzado a las familias españolas a restringir el gasto y aumentar el ahorro, de manera que en 2010 ya ahorraban el 24,7% de la renta disponible.
- Ahorrar implica caída del consumo, que representaba el 60% de la economía, lo que lastra el desarrollo de la actividad económica.
- A comienzos de 2011 la deuda de las Administraciones Públicas era de 679.779 millones de euros, de 121.420 millones la de las autonomías, de 37. 352, la de las corporaciones. Madrid era la ciudad más endeudada: 7.008 millones de euros.
- El endeudamiento público español es 3,6 décimas superior al 60% del PIB establecido por el Pacto de Estabilidad y Crecimiento de la Unión Europea.

informacion.es
El periódico de la provincia de Alicante

El incremento del desempleo fue el factor fundamental que disparó la tasa de ahorro de los hogares e instituciones no lucrativas, que alcanzó en el último trimestre de 2009 su récord histórico al situarse en el 24,7% de la renta disponible, según los datos del Instituto Nacional de Estadística (INE). Entre octubre y diciembre de 2009 la renta disponible de hogares e instituciones sin ánimo de lucro se calculó en 192.701 millones de euros.

Con respecto a la utilización de esta renta, el INE destaca que el gasto en consumo final de los hogares cayó un 0,4% en este periodo, lo que provocó que el ahorro alcanzase los 47.741 millones de euros, un aumento del 7,1%. Si se toman como referencia los últimos cuatro trimestres, la tasa de ahorro de los hogares repuntó hasta el 18,8%, y también su nivel más alto de la serie histórica. Según el INE, en el cuarto trimestre del año, la renta disponible de los hogares se vio afectada por un volumen de prestaciones sociales recibidas "notablemente" mayor, -crecieron el 6,9%-, que el de cotizaciones pagadas y al descenso de los impuestos sobre renta, patrimonio y otros que disminuyeron el 8,4%."

(De La tasa de ahorro en España alcanza su máximo histórico. Información.es.
El periódico de la provincia de Alicante. 6-4-2010)

- Según datos de la OCDE, el IRPF* español y las cotizaciones sociales suponen el 19% del salario medio.

En marzo de 2003, según datos del **Banco de España**, la deuda de las administraciones de las Comunidades Autónomas ascendía a 42.025 millones de euros. Las más endeudadas eran la Comunidad Valenciana (10,4% de su PIB), Galicia (8,3%), Cataluña (7,5%) y Andalucía (7,3%), y las menos eran el País Vasco (2,2%), Canarias (2,7%), Cantabria (3,0%), Castilla-León y La Rioja (3,1%). Los superávits de la Seguridad Social han permitido compensar los déficits registrados por las Administraciones Públicas durante los ejercicios 2001 y 2002.

IRPF: Impuesto sobre el Rendimiento de las Personas Físicas

Banco de España

Las inversiones españolas en el exterior y las inversiones extranjeras en España

CincoDías.com

La inversión directa de España en el exterior creció el 91,69% en el segundo trimestre del año respecto al mismo periodo de 2009, mientras que la inversión extranjera en España aumentó el 36,1%, según datos del Ministerio de Industria, Turismo y Comercio.

Así, en el segundo trimestre del año la inversión española en el extranjero ascendió a 5.731,6 millones de euros, frente a los 2.989,9 millones del mismo periodo de 2009.

El principal receptor de las inversiones españolas fue Estados Unidos (1.166,8 millones de euros), seguido de Irlanda (920,9 millones), Reino Unido (675,2 millones) e Italia (519,1 millones). A continuación se situaron México (417 millones), Hong Kong (332,3 millones), Polonia (226,6 millones), Noruega (173,3 millones), Francia (162,5 millones) y Países Bajos (159,4 millones).

Asimismo, las inversiones españolas en la UE-27 alcanzaron los 2.803,3 millones, en Latinoamérica, 968 millones, y en los denominados paraísos fiscales, 364,6 millones. Por otra parte, la inversión extranjera en España en el segundo trimestre del año ascendió a 4.777,1 millones de euros, frente a los 3.508,1 millones del mismo periodo del año anterior. Países Bajos encabeza la lista de la inversión en España con 1.775,6 millones, seguido de Luxemburgo (909,5 millones), Reino Unido (581,5 millones) y México (328,3 millones).

Después se situaron Alemania (181 millones), Estados Unidos (169,6 millones), Uruguay (165,3 millones) y Francia (133,3 millones). Además, los países de la UE-27 invirtieron en España 3.172,6 millones, los latinoamericanos, 589,7 millones y los paraísos fiscales, 147,6 millones.

Este crecimiento de la inversión extranjera directa supone un dato muy positivo si se compara con el del cierre de 2009, ya que descendió el 62% respecto al año anterior y sumó 14.694 millones de euros debido, sobre todo, a la caída de los beneficios empresariales y la escasez de financiación para grandes y pequeñas operaciones."

(De La inversión de España en el exterior crece el 91,69% en el exterior en el segundo trimestre. Efe. CincoDias.com. 20-9-2010)

- España pasó de tener una renta per cápita equivalente al 86% de la europea en 2000, al 95% en 2004, al 100,7% en 2007 y al 102,6% en 2008. En 2009, a consecuencia de la crisis, la renta cayó por debajo de la media: 99,4%.
- Antes de la crisis tres regiones superaban el 125% de la renta media regional europea: Madrid (132,1%), Navarra (126,7%), País Vasco (125,4%). Solo Extremadura tenía un PIB por habitante inferior (67,1%) a la media europea (75%). Andalucía tenía una renta media del 77,6% y 79,1% Castilla-La Mancha.
- Siete comunidades autónomas superaban la media del PIB per cápita en paridad de poder de compra de la UE: Madrid (136%), País Vasco (136%), Navarra (132%), Cataluña (124%), Baleares (115%), Aragón (112%), La Rioja (111%, Cantabria (104%), León y Castilla (100%).

Las carreteras y los ferrocarriles

Variante de Estella

Ave Madrid-Málaga.

- La red viaria española tiene cerca de 670.000 km de longitud, de los cuales unos 12 000 corresponden a autopistas, autovías y carreteras de doble vía. La red de ferrocarriles se aproxima a los 14.500 km de longitud.
- Se ha optado por las líneas de alta velocidad y de cercanías, que son valoradas positivamente por la ciudadanía.
- En 1992 comenzó a funcionar el AVE, primer tren español de alta velocidad, entre Madrid y Sevilla, que recorre la distancia entre ambas ciudades (471 kms) en dos horas y cuarto. Tras la puesta en práctica del Programa de Infraestructuras Ferroviarias 2000-2007, medio centenar de ciudades están comunicadas por trenes de alta velocidad.
- La inauguración de la línea AVE Madrid-Valencia en diciembre de 2010 ha hecho de España el primer país de Europa por kilómetros de alta velocidad ferroviaria, con un total de 2.665.

Autovía

Alta Velocidad Renfe

EL PAIS

Obras en la línea de alta velocidad
Madrid-Segovia-Valladolid.

"El AVE sigue de moda. En el 2000 superó todas sus marcas económicas al obtener un beneficio neto de 5.892 millones de pesetas, con un incremento del 34,1% respecto al año anterior. Este buen resultado se vio avalado además por un éxito popular al transportar 5.615.010 pasajeros, un 8,3% más que en 1999. Más reseñable aún que este incremento es el hecho de que la línea del AVE Madrid-Sevilla siguió arrebatándole cuota de mercado al avión. Un 83,4% de los viajeros prefieren utilizar el AVE frente a un 16,6% que usaron el avión."

(En El AVE incrementó sus beneficios un 34% hasta 5.892 millones, en 2000, de Ramón Muñoz. El País. 23-4-2001)

Los aeropuertos y los puertos

Estación de metro aeropuerto Madrid-Barajas

Terminal T-4 de Barajas

- En España hay medio centenar de aeropuertos; seis de ellos se encuentran entre los treinta más transitados de la Unión Europea. Madrid-Barajas es el de mayor tráfico de los españoles y el sexto de Europa por el número de viajeros.
- El Plan de Infraestructuras 2000-2007 ha invertido casi 6.000 millones de euros en la ampliación de los dos aeropuertos principales del país (Barajas en Madrid y El Prat en Barcelona). Con posterioridad se han ampliado y mejorado las instalaciones de los de mayor tráfico turístico (Málaga, Alicante, Palma de Mallorca y Canarias) y se han construido otros nuevos como los de Ciudad Real, Lérida, Castellón y Burgos.
- La línea aérea interior más frecuentada es la de Madrid-Barcelona.
- El medio centenar de puertos de titularidad estatal desempeñan un importante papel en la distribución del tráfico comercial.

Aeropuerto del Prat. Barcelona

Puerto de cruceros. Barcelona

- Más del 52% del comercio con la UE se realiza a través de los puertos, y aproximadamente el 96% del comercio con terceros países.

EL VIGÍA

PERIÓDICO SEMANAL DE LA LOGÍSTICA, TRANSPORTE, EMPRESAS Y NEGOCIOS

Informes Tylog. Com

MARÍTIMO

Los puertos españoles atraen a los cruceros

Los enclaves del Estado sumaron más de 3,3 millones de cruceristas en 2003, con un incremento del 20,43% respecto a 2002. Barcelona lideró el *ranking* continental con 1.047.731 pasajeros y 758 buques seguido por Baleares.

El Vigía 7/06/04

Las telecomunicaciones e Internet

Antena de comunicaciones

- Las telecomunicaciones por cable alcanzan la totalidad del territorio nacional.
- El número de usuarios de telefonía móvil es superior al de habitantes.
- Uno de cada cuatro niños de seis años tiene teléfono móvil, y a partir de los 17 años el porcentaje es prácticamente el 100%.
- En 2007 España contaba con seis satélites de telecomunicaciones en órbita, más los científicos y los que cumplen funciones civiles y militares. El Nanosat, lanzado en 2004, de 15 kilos de peso y un diámetro de 50 centímetros, ensaya nuevas tecnologías relacionadas con los nanosensores solares y magnéticos y un sistema de comunicación óptica.
- El 92% de los hogares españoles tienen ordenador en casa.
- El mayor número de usuarios de Internet son los jóvenes -el 88% se declara usuario-, sobre todo los adolescentes, que mayoritariamente eligen la Red como plataforma de entretenimiento y comunicación.
- Las redes sociales (Tuenti y Facebook) concentran la mayoría de las visitas de los jóvenes. El Messenger es su sistema de comunicación favorito. El 65% de los chicos y chicas de entre 18 y 29 años tienen un perfil en alguna de las redes sociales.
- Las páginas de "contenidos inadecuados" son motivo de preocupación para los padres, pero solo el 7% ha instalado filtros en los ordenadores.
- El 70% de los jóvenes ha aprendido a manejar Internet sin ayuda.
- Respecto a los mayores de 70 años, solo usa Internet el 70%.
- Las publicaciones digitales y los videojuegos están en continuo crecimiento.
- El 45% de los usuarios utiliza servicios de distribución no autorizada de música.
- A comienzos de 2011 el Congreso aprobó la "Ley Sinde", con el fin de penalizar las descargas de contenidos protegidos por derechos de autor.
- El comercio electrónico está en expansión, sobre todo el sector turístico, que representa el 42,3% del total de las operaciones. Le siguen las compras directas (7,4 % del total), espectáculos varios (6 %), juegos de azar y apuestas (6 %).

Usuarios de Internet	
2000:	5.486.000
2003:	11.600.000
2006:	14.400.000
2011:	27.000.000

Equipamiento de los hogares	
Porcentaje de hogares que lo tienen (%)	
Televisión:	98,6
Internet:	58
Conexión ADSL	60
Teléfono:	90,2
DVD:	60,8
Ordenador:	69
Ordenador portátil:	5,2
Ambos ordenadores:	43,4
Impresora:	37,8
Escáner:	18,7
Grabadora de CD:	20,1
Cámara fotodigital:	8,8
Cámara video digital:	7,9

(Fuente: Ministerio de Ciencia y Tecnología)

Televisión, radio y prensa

Cabeceras de periódicos

- Los grandes grupos de comunicación españoles son Prisa, Mediapro, Vocento, Zeta, Recoletos, Godó, Hachette Filipacchi, Grupo Moll - Prensa Ibérica, Unidad Editorial S. A., Grupo Joly y Cadena COPE. En general, editan periódicos, suplementos y revistas, y poseen editoriales, cadenas de radio y de televisión.
- Existen cadenas de televisión estatales, autonómicas, locales y privadas. La de mayor audiencia es el canal estatal TVE 1.
- Cadenas de radio de gran audiencia son *Radio Nacional de España 1, la SER, Punto Radio, Onda Cero, La COPE, Radio Nacional de España-Radio Clásica, Radio Intereconomía* y *40 Principales*.
- En España se publican unos 150 diarios, con una venta total de unos cuatro millones de ejemplares.
- Los diarios de información general más leídos son *El País, El Mundo, ABC, La Vanguardia, El Periódico, La Razón, Público* y *La Gaceta*. Periódicos deportivos de gran difusión son *Marca, As* y *Mundo Deportivo*. Entre los numerosos económicos, pueden citarse, a título de ejemplo, *Cinco Días, Expansión, La Gaceta de los Negocios* y *El Economista*.
- Existen gran número de periódicos digitales y gratuitos, entre estos *Qué, ADN* y *20 Minutos*.
- Entre las revistas de información general de mayor tirada destacan *Cambio 16, Época, Tiempo, La Clave* y *Tribuna*.
- Revistas culturales de prestigio son, entre otras muchas: *Claves de la razón práctica, Revista de Occidente, El Basilisco* y *Qué leer*.
- Los periódicos españoles se encuentran entre los europeos que más espacio dedican a la cultura.
- A los medios de comunicación social se les suele considerar el "cuarto poder", por su influencia en la formación de opinión. Más de la mitad de los españoles considera que la diversidad de medios garantiza el pluralismo informativo, y el 68,1% piensa que informan de manera confusa y desordenada.
- Suelen confiar en las informaciones de la prensa escrita el 55% de los españoles, el 62% confía en la radio, el 53% en la televisión.
- En 2010, los medios preferidos por los españoles, según el CIS, eran el diario *El País*, TVE y la cadena de radio la SER. Está en aumento el número de usuarios que se informa en Internet.

Audiencia de los medios de comunicación entre los mayores de 16 años (año 2000)	
Diarios:	32,5%
Revistas:	53,3%
Radio:	53,0%
Televisión:	89,4%
Cine:	10,2%
Vídeo-hogar:	4,9%
Internet:	7,0%

Audiencia de los medios de comunicación 2010	
Diarios:	38%
Revistas:	50,4%
Radio:	56,9%
Televisión:	87,9%

Lectores diarios (EGM. Febrero 2010-diciembre 2010)	
El País:	1.924.000
El Mundo:	1.282.000
ABC:	756.000
La Vanguardia:	757.000
El Periódico:	778.000
La Razón:	357.000

Mercado de la prensa Periodo: Enero-diciembre 2010 (tirada media)	
El País:	473.407
El Mundo:	383.713
ABC:	326.584
La Vanguardia:	233.229
El Periódico de Catalunya:	168.911
La Razón:	165.148
(Fuente: OJD)	

Antena 3

Los niveles de bienestar y renta

- Los españoles han conseguido un nivel de bienestar similar al de los países más avanzados de la U.E. Factores básicos del mismo son la Seguridad Social, con su sistema de universalidad de prestaciones -pensiones, seguro de desempleo, asistencia médico-sanitaria, educación-, que favorece la igualdad de oportunidades.
- En el siglo XXI persisten las mismas tendencias que a finales del XX:

  Niveles de renta y bienestar más altos en la mitad norte que en la sur y más en la zona este que en la oeste.

  País Vasco, Navarra, Baleares, Cataluña y Madrid son las comunidades de mayor nivel de bienestar. Extremadura, Andalucía, Castilla-La Mancha, Galicia y Canarias las de menor nivel.

  Las provincias más ricas son Álava, Navarra, Gerona, Guipúzcoa y Lérida. Cáceres, Cádiz, Córdoba, Granada, Jaén y Badajoz son las menos ricas.

  La renta media por habitante de Madrid, Baleares, Cataluña, Navarra, País Vasco y La Rioja es superior a la media de la UE. El 19% de los hogares españoles percibe una renta anual inferior al 50% de la media nacional.

El impacto de la crisis:

- La riqueza media de las familias descendió de 118.500 dólares a 89.444
- El número de parados se elevó en el último trimestre de 2011 a 4.978.300 personas (21,5% de la población activa).
- Un tercio de los parados de la UE son españoles.
- Antes de la crisis, según un estudio del Consejo Económico Social, solo un 3,9% de los hogares podía calificarse de realmente pobre.
- En el último trimestre de 2011 había 1,43 millones de hogares con todos sus miembros activos en paro, la tasa de temporalidad era del 26% y la tasa de paro juvenil (menores de 25 años) era del 45,8%. Un millón cien mil parados ya habían agotado las prestaciones sociales.
- Uno de cada cinco españoles estaba en el umbral de la pobreza.
- El deterioro de la calidad de vida incrementó el estrés del 44% de la población.
- Entre las ayudas que perciben los hogares pobres destacan los Ingresos Mínimos de Inserción, que son gestionados por los Gobiernos autonómicos,
- El peso de los salarios en el PIB ha pasado del 68% en 1976 al 54% en 2006.

La Seguridad Social

Los recursos de la Seguridad Social proceden del Estado y de las cotizaciones de los trabajadores y las empresas.

- El número de afiliados a la Seguridad Social se ha incrementado cada año.
- Las afiliaciones crecen a mayor ritmo que la economía.
- El número de afiliados en 2007 era de 19.231.986 personas.
- A comienzos del nuevo siglo hay 2,28 cotizantes por cada pensionista.
- Según datos de la OCDE, España es el segundo país de la UE que más ha incrementado las inversiones en sanidad desde 1970.
- El gasto público sanitario asciende al 7% del PIB.
- El 67% de los españoles está satisfecho de la sanidad pública.
- El sistema sanitario español ocupa el quinto lugar entre todos los del mundo por su nivel de calidad.

La Educación

Artículo 27

El artículo 27 de la Constitución proclama el derecho de los españoles a la educación y establece los principios básicos de la legislación educativa:

- La educación es obligatoria, libre y gratuita para los niños y jóvenes comprendidos entre los 6 y los 16 años de edad.
- Está reconocida constitucionalmente la libertad de enseñanza, la descentralización y la autonomía de los centros.
- En España hay nueve millones de estudiantes y 800.000 profesores.
- La tasa de paro entre los menos formados duplica a la de los universitarios. La tasa de paro entre los que solo lograron cursar la enseñanza primaria es del 25,4%; del 23,6% entre los que estudiaron la primera fase de secundaria, del 17,3% entre los que completaron la secundaria, y del 9.5% entre los universitarios.
- En 2005 el gasto en educación fue del 4,33% del PIB y del 5% del PIB en 2009.
- La demanda de plazas universitarias no suele coincidir con la oferta.
- País Vasco, Navarra y Madrid son las comunidades con más alto nivel educativo y con mayores porcentajes de jóvenes que acaban los estudios superiores. Los niveles más bajos se dan en Canarias, Andalucía y Extremadura.
- En 2009, solo el 49% de la población adulta española había terminado la enseñanza obligatoria; el 51% de los españoles de entre 25 y 64 años tenía estudios postobligatorios, un 29% poseía titulación superior y un 22% tenía estudios secundarios no obligatorios.
- El 22% de la población española ha completado la educación postobligatoria, frente al 47% de media de la UE y el 44% de los países que forman parte de la OCDE.
- El 44% de los titulados españoles de entre 25 y 29 años ocupa puestos de trabajo de cualificación inferior a sus estudios, frente a la media del 23% de la OCDE.
- El índice de titulados (2008) en FP de grado medio es del 38%.
- España sigue las recomendaciones de la UE en materia de enseñanza de lenguas y ha introducido el estudio de una segunda lengua y avanzado la edad de aprendizaje de idiomas extranjeros. El 63% de los niños en educación infantil estudia inglés; en Primaria, ESO y Bachillerato ronda el 98%.

Alumnos en su clase

Porcentaje de alumnado que cursa lenguas extranjeras. Curso 2005–06				
	Total	Inglés	Francés	Otras lenguas
Primera lengua extranjera				
E. Infantil Segundo ciclo	54,4	53,5	0,6	0,3
E. Primaria	92,4	91,6	0,6	0,2
ESO	99,6	98,0	1,5	0,2
Bachillerato	97,5	95,2	2,0	0,2
Segunda lengua extranjera				
ESO	42,0	1,2	38,3	2,5
Bachillerato	28,2	1,1	25,9	1,2

Alumnos de segundo de ESO

Alumna de Formación Profesional

Universidad de Salamanca

Del sistema de enseñanza y educativo se denuncian los siguientes aspectos:

- Porcentaje asignado del PIB insuficiente.
- Incremento de las desigualdades regionales y alto índice de abandono escolar.
- Inadaptación de la enseñanza profesional y universitaria a las necesidades de las empresas y de la sociedad.
- Degradación de la función docente.
- Insuficiente presencia de las humanidades y de las lenguas clásicas en los planes de estudio y deficiencias en la enseñanza de las matemáticas, lengua e inglés.

Universidad Nacional de Educación a Distancia

Alumnado matriculado en 1ᵉʳ y 2º CICLO de enseñanza superior. PREVISIÓN CURSO 2006–07					
	TOTAL	Univ. Públicas	%	Univ. Privadas y de la iglesia	%
TOTAL	1.423.396	1.283.621	90,2	139.775	9,8
Ciclo largo	857.627	770.456	89,8	87.131	10,2
Ciclo corto	565.769	513.165	90,7	52.604	9,3
Rama de enseñanza					
Ciencias Sociales y Jurídicas	709.747	633.470	89,3	76.277	10,7
Enseñanzas Técnicas	367.782	333.105	90,6	34.677	9,4
Humanidades	129.898	122.156	94,0	7.736	6,0
Ciencias de la Salud	118.584	100.547	84,8	18.037	15,2
Ciencias Experimentales	97.391	94.343	96,9	3.048	3,1

Fuente: MEC.

Universidad Politécnica de Valencia

Universidad Complutense de Madrid

La vivienda

- La construcción ha sido un magnífico negocio hasta el pinchazo inmobiliario de 2008, a costa de precios inalcanzables para la mayoría de los españoles. Entre 1999 y 2007 los precios se incrementaron un 47%. La subida se debió a la fuerte demanda, sobre todo con fines especulativos, y a los bajos intereses de los préstamos hipotecarios (3,87% en 2003), los más bajos de Europa después de Finlandia).

Edificio en construcción

Plano de un piso

- A causa de la crisis, en 2009 la construcción de viviendas nuevas cayó un 55,7%. En marzo de 2010 había 1 millón cien mil viviendas sin vender.
- Los precios de las viviendas van descendiendo desde 2008. A pesar de ello se estima que están sobrevalorados en un 47,6%
- 18 años suele ser el tiempo medio que tarda una pareja en pagar la hipoteca de un piso de 70 metros cuadrados.
- El porcentaje de viviendas en propiedad es del 68%.
- La oferta de viviendas en alquiler es muy baja (11,5%), tal vez a causa de la deficiente protección de los propietarios frente a los inquilinos. Se estima en tres millones el número de viviendas vacías.
- En octubre de 2011 la Administración ha tomado medidas a fin de aligerar el deshaucio de los inquilinos que no abonen los alquileres.

Barrio Las Tablas, Madrid.

> *"Mi Gobierno va a afrontar el mayor problema con que hoy conviven millones de familias españolas: la imposibilidad de acceder a una vivienda en condiciones razonables. Combatiremos la especulación del suelo, mediante un Plan que, diseñado por el nuevo Ministerio de la Vivienda y concertado con las comunidades, pondrá a disposición de las familias a precios asequibles 180.000 viviendas anuales más, poniendo en juego, para ello, la bolsa de suelo de las Administraciones."*
>
> (José Luis Rodríguez Zapatero, en el debate de investidura. 16-4-2004)

7 La cultura

Cartel de *La piel que habito*

Plácido Domingo

Pedro Almodóvar

Pintura de Miquel Barceló

Las lenguas de España

Artículo 3
1. El castellano es la lengua española oficial del Estado. Todos los españoles tienen el deber de conocerla y el derecho a usarla.
2. Las demás lenguas españolas serán también oficiales en las respectivas Comunidades Autónomas de acuerdo con sus Estatutos.
3. La riqueza de las distintas modalidades lingüísticas de España es un patrimonio cultural que será objeto de especial respeto y protección.

- El español es la lengua oficial de España y de 20 países de Hispanoamérica.
- Comparte la oficialidad con el catalán, gallego y vasco en sus respectivas Comunidades Autónomas: Cataluña, Galicia y País Vasco.
- Existen otras lenguas minoritarias o dialectos: bable (Asturias), fabla aragonesa (Aragón) y aranés (Valle de Arán).

Español o **castellano**

- Al español se le denomina también castellano, por Castilla, su región de origen. Este nombre lo distingue de las otras lenguas españolas. El empleo de ambos términos es correcto. (Últimamente es más usual el de *español*).
- Es hablado por unos 400 millones de personas, de las cuales solo el 10% es español.
- Es la lengua neolatina más hablada.
- Es el cuarto idioma más hablado del mundo, después del inglés, del chino y del hindi.

Catalán, gallego, vasco y las lenguas minoritarias

- El *catalán* se habla en Cataluña. Sus variedades balear y valenciana se hablan, respectivamente, en las islas Baleares y en la Comunidad Valenciana.
- El *gallego* es hablado por dos millones y medio de personas.
- El *vasco* o *euskera* es hablado por un millón de personas, aproximadamente.
- El *bable* es hablado por el 44% de los asturianos.
- La *fabla aragonesa* es hablada por unos 11.000 ciudadanos de los valles pirenaicos aragoneses.
- El *aranés* es hablado por unas 3.700 personas del Valle de Arán (Lérida).

CATALUÑA

Els Segadors

(himno oficial de Cataluña)

Catalunya triomfant,
tornarà a ser rica i plena
endarrera aquesta gent
tan ufana i tan superba.

Bon cop de falç!

LOS SEGADORES
(Traducción al castellano)
*Cataluña triunfante
volverá a ser rica y plena
atrás esta gente
tan ufana y tan soberbia*

¡Buen golpe de hoz!

PAÍS VASCO

Gernikako Arbola

Gernikako arbola
da bedeinkatua
Euskaldunen artean
guztiz maitatua.
Eman ta zabal zazu
munduan frutua
adoratzen zaitugu
arbola santua.

EL ÁRBOL DE GUERNICA
(Traducción al castellano)
*El árbol de Guernica
es símbolo bendito
que ama todo euskalduna
con entrañable amor.
Árbol santo: propaga
tu fruto por el mundo
mientras te tributamos
ferviente admiración.*

GALICIA

Cantares galegos de Rosalía de Castro

Cantarte hei, Galicia
teus dulces cantares,
que así mo pediron
na beira do mare.
...
Que así mo pediron
que así mo mandaron,
que cante e que cante
na lengua que eu falo.

CANTARES GALLEGOS
(Traducción al castellano)
*Quiero cantarte, Galicia
tus dulces cantares,
que así me lo pidieron
a orillas del mar.
...
Que así me lo pidieron,
que así me lo exigieron,
que cante y que cante
en la lengua que hablo.*

"El 29 % de la ciudadanía española vive en territorios donde el catalán es lengua oficial. Dos de cada tres personas que viven en territorios con más de una lengua oficial, es decir, 12,9 millones, residen en los tres territorios donde el catalán, con este nombre o con el nombre de valenciano, es lengua oficial, lo que representa el 29 % de la población española; es decir, uno de cada tres habitantes del Estado español.
Con más del 41 % de la ciudadanía residiendo en territorios con una lengua diferente del castellano, España es, después de Bélgica y Luxemburgo, el Estado de la Unión Europea en que el fenómeno del plurilingüismo tiene más importancia, con lo que, lejos de ser un hecho anecdótico en el Estado, casi constituye una de sus características esenciales."

(En El catalán, lengua de Europa. Generalidad de Cataluña. Departamento de la Vicepresidencia. Secretaría de Política Lingüística. (www.gencatcat/llengua)

EL●MUNDO

"El presidente del PP vasco, Antonio Basagoiti, ha mostrado el compromiso de su partido por mantener "vivo" el euskera y ha rechazado que se le someta a "refriegas sectarias". Además, ha realizado un llamamiento a "enterrar viejas disputas y malas prácticas" sobre la lengua vasca, y ha instado a sumar "fuerzas" para fortalecerla (…)
A su juicio, "la protección y el impulso del euskera es responsabilidad de todos, y esa tarea compartida, ni puede adjudicarse ni puede cuestionarse por posicionamientos partidistas ni tampoco ponerse al servicio de estrategias egoístas". "El euskera es un patrimonio cultural nuestro y, como vascos, todos debemos asumir su defensa y su desarrollo", ha apuntado.
Tras señalar que hay que contribuir "a mantener vivo un patrimonio cultural milenario", ha pedido que "no existan comportamientos que ni aportan ni generan el compromiso social necesario para alcanzar ese objetivo".
"El euskera crece y se fortalece en el compromiso, y en ese compromiso debemos estar todos, sin intereses adulterados y con la única voluntad de defender y promover un patrimonio que nos pertenece a todos", ha señalado.
En este sentido, ha abogado por "juntar fuerzas en torno al euskera y fortalecer un compromiso que corresponde a todos".
"Ninguna lengua, y el euskera tampoco, puede someterse a refriegas sectarias que tratan de utilizar esta cuestión como una herramienta más dentro de una estrategia más amplia que persigue fijar categorías entre más vascos y menos vascos, señalando a los amigos y a los enemigos del euskera en función de sus intereses y posiciones ideológicas", ha destacado."

(De Basagoiti se compromete a mantener "vivo" el Euskara y rechazar "refriegas sectarias." Elmundo.es. País Vasco. 14-12-2010)

La creación literaria

La narrativa

Desde el último tercio del siglo XX se ha recuperado el arte tradicional de la novela realista -ficción, argumento, personajes-. Se escriben muchas novelas por encargo, personajes famosos hacen incursiones esporádicas en la literatura, los premios literarios suelen tener un amplio eco en los medios de comunicación y, en consecuencia, el género ha alcanzado un alto nivel de difusión y se ha convertido en un producto de consumo cuya calidad no siempre está a la altura de su éxito comercial.

Arturo Pérez Reverte

- La novela urbana, la policiaca o negra, la de intriga, la histórica, la de entretenimiento y las memorias son los subgéneros más cultivados.

María Dueñas

EL PAIS

"El desprestigio que, desde el punto de vista de calidad literaria, sufre la novela tiene su origen, en parte, en las leyes devoradoras del mercado y en la banalidad que impregna la cultura de la sociedad moderna. Estas causas han hecho que se considere la novela como el más frívolo de los géneros literarios y que los novelistas seamos vistos y utilizados como marionetas mediáticas. Símbolos o marcas de una realidad social cada vez más ruidosa e impostada, dispuesta a servirse de la novela como trampolín publicitario de sus productos de mercado."

(En *La enfermedad de la novela*, de Nuria Amat. *El País*. 13-11-2001)

Algunos de los libros (ficción) más vendidos en la década:

El mundo entre costuras, **de María Dueñas**
La sombra del viento, **de Carlos Ruiz Zafón**
El código da Vinci, **de Dan Brown**
Las aventuras del capitán Alatriste, **de Arturo Pérez reverte**
Soldados de Salamina, **de Javier Cercas**
El dios de las pequeñas cosas, **de Arundhati Roy**

MARÍA DUEÑAS

El tiempo entre costuras

Juan José Millás

Eduardo Mendoza

Carlos Ruiz Zafón

www.clubcultura.com
www.capitanalatriste.com

Rosa Montero

Javier Marías

Almudena Grandes

Juan Marsé

Nombres relevantes de la narrativa actual son, por ejemplo, Juan José Millás, Enrique Vila-Matas, Rosa Montero y Eduardo Mendoza. Algunos escritores han alcanzado gran proyección internacional, como Javier Marías, Antonio Muñoz Molina o Arturo Pérez-Reverte. Entre los nuevos valores, Eloy Tizón, Belén Gopegui, Carlos Ruiz Zafón y Javier Cercas son autores de éxito. Junto a los nuevos autores, otros de promociones anteriores o más veteranos gozan del favor del público, por ejemplo: Ana María Matute, Juan Marsé y Álvaro Pombo.

El teatro

El género de la comedia tradicional burguesa y el teatro de autor predominan en la escena española, junto con nuevas formas que combinan representación escénica y otros elementos visuales y sonoros.

La comedia burguesa cuenta con un público fiel y con autores -Juan José Alonso Millán, Jaime Salom, José Luis Alonso de Santos- de obras de excelente factura. El teatro de autor está experimentando un renacer en los últimos años con José Sanchis Sinisterra, Albert Boadella, Salvador Távora y Francisco Nieva. Nuevos valores de la escena española son, por ejemplo, Juan Mayorga y Antonio Onetti. Hoy en día, el director comparte fama y prestigio con el autor e incluso a veces le supera. Calixto Bieito es un controvertido director de escena que ha escandalizado y apasionado a públicos de media Europa por lo atrevido e innovador de sus creaciones.

La Fura dels Baus

El retablo de las maravillas
Cinco variaciones sobre un tema de Cervantes

Els Joglars

Albert Boadella

Los espectáculos dramático-visuales suelen incluir variados elementos visuales, gestuales y sonoros, mimos, humor, sátira y parodia; han desbordado el marco tradicional del espacio escénico -salen incluso a la calle- y son campo abonado para la experimentación y la innovación. Diversos grupos -*La Fura dels Baus* (www.lafura.com/), *Els Joglars* (www.elsjoglars.com), *Dagoll Dagom* (www.dagolldagom.com), *La Cuadra de Sevilla* (www.teatrolacuadra.com) *Els Comediants*, etc.- han conseguido un alto nivel de calidad y repercusión internacional.

La poesía

En la poesía contemporánea dominan dos tendencias fundamentales:

* Conceptual o culturalista, que experimenta con el lenguaje y sirve de expresión de conflictos extraliterarios.
* Realista o posmoderna, que trata temas humanos y cotidianos y se sirve de la métrica tradicional y de un lenguaje accesible al gran público.

Nombres relevantes son, entre otros, Antonio Colinas, Luis García Montero, Ana Rossetti, Carlos Marzal y Andrés Sánchez Robayna. Entre los nombres emergentes de la nueva poesía, Luisa Castro y Carmen Jodra son autoras de éxito.

El auge de las lenguas regionales se ha traducido en el de las respectivas literaturas. Grandes nombres son, por ejemplo, Alex Susanna y Quim Monzó (catalanes), Bernardo Atxaga (vasco) y Suso de Toro (gallego).

Luis García Montero

www.escritoras.com/escritoras

Los premios literarios

EL MUNDO

El más importante premio literario español es el Cervantes, que "ha conseguido reunir, en sus 25 años de joven historia, a los escritores más sobresalientes del siglo".

(*El Mundo*. 25-4-2001)

Camilo Jóse Cela

Ana María Matute

* Entre los oficiales, el *Premio Nacional de las Letras* distingue la obra completa de un autor; los Premios Nacionales en las distintas modalidades (poesía, teatro, narrativa y ensayo) reconocen la mejor obra publicada durante el año.

* Entre los privados, el *Planeta* (www.editorial.planeta.es/premiosliterarios) es el de mayor cuantía económica del mundo (360.000 euros) después del *Nobel*. Muy codiciados son el *Nadal, Primavera* y *Alfaguara,* así como los *Max* de teatro y *Adonais* e *Hiperión* de poesía. El *Ramón Llull* es el premio literario catalán más importante.

PREMIOS CERVANTES	
1976:	Jorge Guillén
1977:	Alejo Carpentier
1978:	Dámaso Alonso
1979:	J. L. Borges / G. Diego
1980:	Juan Carlos Onetti
1981:	Octavio Paz
1982:	Luis Rosales
1983:	Rafael Alberti
1984:	Ernesto Sábato
1985:	G. Torrente Ballester
1986:	A. Buero Vallejo
1987:	Carlos Fuentes
1988:	María Zambrano
1989:	Augusto Roa Bastos
1990:	Adolfo Bioy Casares
1991:	Francisco Ayala
1992:	Dulce María Loynaz
1993:	Miguel Delibes
1994:	Mario Vargas Llosa
1995:	Camilo José Cela
1996:	José García Nieto
1997:	G. Cabrera Infante
1998:	José Hierro
1999:	Jorge Edwards
2000:	Francisco Umbral
2001:	Álvaro Mutis
2002:	José Jiménez Lozano
2003:	Gonzalo Rojas
2004:	Rafael Sánchez Ferlosio
2005:	Sergio Pitol
2006:	Antonio Gamoneda
2007:	Juan Gelman
2008:	Juan Marsé
2009:	José Emilio Pacheco
2010:	Ana María Matute
2011:	Nicanor Parra

El pensamiento y el ensayo

Entre las corrientes surgidas en la Transición democrática, el nietzscheanismo -Eugenio Trías, Fernando Savater, etc.- reinterpreta el vitalismo y el nihilismo del filósofo alemán; los analíticos -Javier Muguerza, Javier Sádaba, Jesús Mosterín, etc.- siguen un neopositivismo basado en la fe en la ciencia y en sus métodos y prestan especial atención a cuestiones éticas, lógicas y del lenguaje. El pensamiento posmoderno se caracteriza por la pluralidad de corrientes de límites imprecisos, el interés por la identidad de la propia filosofía, el debilitamiento de su sentido profundo o "pensamiento débil", el alejamiento de los problemas metafísicos y de los tratados tradicionalmente por la ontología, y el rechazo de metas y objetivos trascendentes y absolutos.

- El ensayismo se ha abierto a una extensa variedad temática: crítica de arte, cine, literatura y música, asuntos históricos, lingüísticos y sociológicos y relacionados con los nacionalismos, el terrorismo y la inmigración, con la globalización de la economía, la ecología, las nuevas formas de exclusión, la integración europea, los fundamentalismos religiosos y el renacer del racismo y del fascismo, el pensamiento único y el débil, las nuevas tecnologías y las cuestiones morales planteadas por la investigación genética.

El arte, la música y el cine

- En el arte conviven los estilos y corrientes del último cuarto del siglo XX con innovadoras formas y lenguajes, muchos de los cuales se sirven de los nuevos soportes de las tecnologías de la información y de la comunicación.
- El arte contemporáneo es cosmopolita y heterogéneo, además de escasamente crítico y transgresor.
- La reproducción mecánica, el video-art y las tecnologías informáticas propician su difusión y la interacción entre los creadores y el público.
- La feria madrileña de arte *Arco* es exponente de la vitalidad de la creación artística y del coleccionismo en España.

Rafael Moneo

Rafael Moneo, poseedor del Nobel de la arquitectura, el Pritzker Price, es autor de emblemáticos edificios como el *Museo de Arte Romano* de Mérida (www.monumentalia.net), la *Catedral* de Los Ángeles (USA) y el *Kursaal* de San Sebastián, que ha sido galardonado con el prestigioso *Premio Mies van der Robe*. Santiago Calatrava, también escultor, es autor, por ejemplo, de puentes que combinan funcionalidad y vanguardia, de innovadores proyectos como el *Turning Torso de Malmoe* (Suecia), la planificación urbanística de la *Zona Cero* neoyorkina y diversos trabajos en Atenas para las Olimpiadas 2004. Ricardo Bofill es arquitecto ecléctico (www.ricardobofill.com), entre cuyas creaciones destacan un rascacielos en Chicago (Estados Unidos) y la remodelación de la estación ferroviaria de Bolonia (Italia). Oriol Bohigas es arquitecto y urbanista en permanente renovación. Entre los arquitectos de gran proyección internacional también figuran Alfonso Milá y Federico Correa, urbanizadores de la zona olímpica de Barcelona. Fernando de Terán es urbanista que parte de la concepción de la ciudad como una obra de arte en sí misma. Miguel Fisac lleva a cabo una continua aportación a los aspectos económicos, sociales, estéticos y tecnológicos de la arquitectura. Los *FAD* (Fomento de las Artes Decorativas) constituyen unos de los premios más prestigiosos a la obra arquitectónica.

El Kursaal de San Sebastián

Tàpies

Entre la extensa nómina de artistas plásticos, Miquel Barceló (www.miquelbarcelo.org) es pintor neoexpresionista, Susana Solano es escultora minimalista, Antoni Tàpies (www.tonitapies.com/03-04.htm) es pintor informalista, Antonio Hernández es pintor y escultor hiperrealista, Eduardo Arroyo es pintor y escultor "pop" y neofigurativo, y Luis Gordillo es pintor de la "nueva abstracción".

Miquel Barceló

La fotografía se ha convertido en un género autónomo y ha experimentado un renovado auge desde la época de la *Movida,* en los años ochenta del siglo XX, movimiento de la progresía madrileña que identificó fotografía y diseño con rasgo identitario fundamental de la posmodernidad artística. Cristina García Rodero registra costumbres y tradiciones, Juan Manuel Prieto Castro indaga en las relaciones entre música e imagen, Leopoldo Pomés "no teme enfrentarse a lo feo, a lo triste y a la belleza absoluta", y Toni Catany imprime un intenso lirismo a sus escultóricos desnudos masculinos.

"Las artes plásticas hispánicas desde la mitad del siglo hasta la actualidad han producido una auténtica constelación, una verdadera pléyade de creadores de las más distintas tendencias y de amplia proyección universal, cuya mera densidad hace muy difícil componer una lista de algo que se parezca a "los diez principales".

(En *Los Top Ten del Arte español*, de J. J. Navarro Arisa, en *Descubrir el Arte*. Año II. Número 22. Diciembre 2000)

 www.culturalianet.com

Fotografía de Cristina García Rodero

• En la creación musical conviven, como en las artes plásticas, las formas y corrientes del último cuarto del siglo XX con los nuevos lenguajes.

Entre los grandes compositores contemporáneos, Luis de Pablo ha abierto nuevos caminos a la música operística y a la cinematográfica mediante la fusión de formas occidentales con otras exóticas; Antón García Abril y Miguel Ángel Coria crean sonidos cuya fusión se realiza en el oído del oyente (impresionismo); Tomás Marco experimenta formas inéditas de expresión musical (experimentalismo); Cristóbal Halffter transmite sus propias impresiones al margen de las reglas tonales tradicionales (expresionismo). Mauricio Sotelo, autor de la ópera *Mnemosine* o *El Teatro de la memoria,* es, quizá, la más destacada personalidad de la nueva generación musical española. Plácido Domingo, Josep Carreras, Teresa Berganza, Montserrat Caballé y Ainhoa Arteta son intérpretes españoles de reconocido prestigio internacional. Gran personalidad del panorama musical español es Jordi Savall, investigador, director, intérprete y concertista.

Plácido Domingo Ainhoa Arteta

Josep Carreras Montserrat Caballé

- En el cine español (www.cultura.mecd.es/cine) predomina lo narrativo sobre el espectáculo. La comedia es el género más cultivado.
- En los últimos años se observa un auge del documental y del cine de animación.

Reconocimiento internacional al cine español:

- 2000 Óscar a la mejor Película de Habla no Inglesa *Todo sobre mi madre*, de Pedro Almodóvar.
- 2003 Premio de Hollywood al Mejor Guion a la película *Hable con ella*, de Pedro Almodóvar.
- 2004 Óscar a la Mejor Película de Habla no Inglesa a *Mar adentro*, de Alejandro Amenábar
- 2006 Penélope Cruz es nominada Mejor Actriz gracias a la película *Volver*.
- 2008 Óscar a Javier Bardem por su papel en *No es país para viejos*, de los hermanos Coen.
- 2009 Óscar a Penélope Cruz por su papel en la película *Vicky Cristina Barcelona*, de Woody Allen.
- Pese a todos estos premios, la presencia de cine español en el extranjero es modesta: solo el 10% de la producción nacional logra salir al exterior.

Estatuilla de los premios Óscar

Pedro Almódovar

Alejandro Amenábar

Javier Bardem

EL ●MUNDO

LOS ÁNGELES.- Javier Bardem entró ayer en la historia como el primer actor español en lograr un Óscar por "No es país para viejos", la gran triunfadora de la noche con cuatro estatuillas, incluida la de mejor película y mejor dirección para Joel y Ethan Coen. "¡Esto es para España y para todos nosotros!", dijo Bardem en el momento de dedicarle el premio a su madre, Pilar, que saltó el charco para arropar a su hijo en el momento de entrar en el pabellón de los grandes de Hollywood.

CARLOS FRESNEDA (enviado especial)

Estatuilla de los premios Goya

- La aparición de nuevos realizadores españoles de éxito no se ha traducido, en todos los casos, en el aumento de la cuota de mercado del cine nacional. Según *El País*, en el año 2007 el número de espectadores españoles descendió un 16,4% respecto a 2006. Solo el 15% de las películas que ven los españoles son españolas. El cine español no recauda ni el 20% de las subvenciones que recibe del Estado.
- Algunos actores españoles han alcanzado fama y reconocimiento internacionales, por ejemplo, Penélope Cruz, Javier Bardem, Antonio Banderas y Victoria Abril.
- Entre los festivales de cine españoles, los de mayor prestigio son el de San Sebastián, la Semana Internacional de Cine de Valladolid (Seminci), que se ha abierto a un cine inteligente y comprometido; el de Gijón, para películas de carácter experimental; el de Sitges (Festival Internacional de Cinema de Cataluña), el de Málaga, para producciones nacionales, y otros especializados como Animadrid o el Festival de Cine de Comedia de Peñíscola.
- Los premios Goya, otorgados por la Academia Española de Cine, son los de mayor prestigio en la cinematografía nacional.

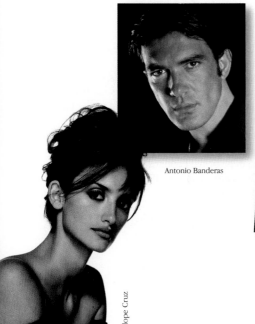

Antonio Banderas

Javier Bardem

Penélope Cruz

La moda y el diseño

- A pesar de la gran tradición de la moda española, esta se ha incorporado tardíamente a los circuitos internacionales.
- Hoy día comienza a ser competitiva y muchos creadores españoles han logrado labrarse una imagen de marca en el exterior. Miguel Adrover, Custo Barcelona, Josep Font, Amaya Arzuaga, Roberto Verino y Adolfo Domínguez son algunos de los más importantes diseñadores del momento. Las pasarelas *Cibeles* (Madrid), *Gaudí* (Barcelona) y *del Carmen* (Valencia) desempeñan una importante labor de promoción de la moda española. Grupos como *Inditex,* propietario de *Zara, Massimo Dutti* y *Pull and Bear,* han popularizado e internacionalizado la producción y comercialización internacional de ropa de diseño moderno a precios muy competitivos.

- Los diseñadores manifiestan la influencia de las nuevas tecnologías, de los nuevos materiales y de la música; postulan un arte respetuoso con el medio ambiente, con los materiales y con las formas, e insisten en la necesidad de combinar estética y sentido práctico.
- Grandes nombres del diseño español contemporáneo son, por ejemplo, Alberto Corazón y Javier Mariscal.

La ciencia y la inversión en I+D

- España ocupa el noveno puesto en el mundo en producción científica y quinto entre los países de la UE. Sin embargo, solo dedica un 1,35% de su PIB a investigación, frente a la media europea, que supera el 2%..
- El empleo en investigación y desarrollo (I+D) en España aumentó un 36% en el período de 2004 a 2009, hasta superar la cifra de 220.000 empleados.

- La crisis desencadenada en 2008 ha limitado el gasto en I+D. Además, la escasa inversión de las empresas y la falta de colaboración entre estas y el sector público, lastran la investigación científica.
- Solo el 0,6% de las patentes son españolas; sin embargo, España ocupa el quinto puesto en el número de patentes en energías renovables (2010).
- 146 instituciones españolas se encuentran entre las 3.042 de todo el mundo que publican más de 100 trabajos anuales.
- El 44,6% de los estudiantes no considera atractiva la profesión de científico.
- Premios relevantes de la ciencia española son el Nacional Santiago Ramón y Cajal, de investigación científica; el Nacional Leonardo Torres Quevedo, de investigación técnica; el Nacional Gregorio Marañón, de investigación médica; y el Premio para Jóvenes Investigadores Rey Juan Carlos I, de investigación humanística y científico-social.

La cultura popular tradicional

- España es uno de los países europeos que mejor ha conservado el legado de su cultura popular tradicional: folclore, trajes regionales, deportes rurales, artesanía, etc.

- Las fiestas populares favorecen la convivencia y la participación ciudadanas. Entre las más conocidas destacan la *Feria de Abril*, la *Semana Santa* de Sevilla, el *Rocío* (www.rocio.com), las *Fallas* de Valencia (www.fallas.com), los *Sanfermines* de Pamplona (www.sanfermin.com), el *Corpus Christi* de Toledo, los *carnavales* de Cádiz y Santa Cruz de Tenerife, la *Feria del Caballo* de Jerez de la Frontera, las de *moros y cristianos* (recomendamos teclear en la red "moros y cristianos") en diversas localidades de la costa levantina, y las fiestas de *San Isidro* en Madrid.

Romería del Rocío

Un aspecto negativo a destacar es que la creciente modernización y el ocaso de las viejas culturas campesinas se está traduciendo en la desaparición del legado arquitectónico y urbanístico rural.

Encierro en San Fermín

El Camino de Santiago

(www.caminosantiago.com)

Concha del peregrino

Mojón señalizador

Catedral de Santiago de Compostela

Pórtico de la Gloria

Apóstol Santiago

Señalización del Camino

En el siglo IX se reavivó la antigua creencia en la predicación del Apóstol Santiago en España. Según la leyenda, su tumba se localizó gracias a unas estrellas en un lugar de Galicia que tomaría el nombre de *Santiago de Compostela -Campus Stellae-*, donde en 1075 comenzó a construirse una gran catedral. La tumba del Apóstol se convirtió a partir de entonces en importante centro de las peregrinaciones cristianas. Entre los caminos que los peregrinos recorren hasta llegar a Santiago de Compostela, el francés o ruta jacobea es el más transitado.

8 Problemas, cuestiones y debates

Los problemas que más preocupan a los españoles son similares a los de sus socios comunitarios, así como otros específicos como los derivados del desarrollo del Estado Autonómico y del auge de los nacionalismos y los regionalismos.

CON LAS VÍCTIMAS,

SEPARAR PARA RECICLAR

SEPARAR ESTA EN TUS MANOS.
RECICLAR EN LAS DE TODOS.

Focos
sobre

- **El terrorismo**
- **El paro**
- **La inmigración**
- **Los nacionalismos**
- **La reforma de la Constitución, del Senado y de los Estatutos de Autonomía**
- **La cuestión lingüística**
- **La reforma de la justicia**
- **La delincuencia**
- **La drogadicción**
- **La violencia doméstica**
- **El futuro de las pensiones**
- **El medio ambiente**
- **La conciencia ecológica**
- **El agua**
- **El ruido y los horarios**

Foco sobre

El terrorismo

- El terrorismo de ETA, organización que aspira a conseguir la independencia del País Vasco por medio de atentados violentos y de la intimidación (secuestros, extorsiones, impuestos revolucionarios), ha causado innumerables víctimas y graves daños morales y sicológicos. A la hora de matar, ETA no ha distinguido entre niños, mujeres, civiles y militares.
- ETA ha causado un tremendo perjuicio al pueblo vasco y a su economía. Se estima en trescientos mil el número de ciudadanos vascos que a causa del terrorismo han tenido que abandonar su tierra e instalarse en otras regiones del territorio español.
- En diciembre de 2000, el Gobierno, la oposición y numerosas fuerzas sociales, sindicales y políticas de España y el extranjero, suscribieron el pacto antiterrorista "Por las libertades y contra el terrorismo."
- La organización terrorista Al Qaeda se declaró enemiga de España porque, en su opinión, ocupa Al Andalus, tierra musulmana, forma parte de la OTAN y mantiene en las cárceles a presos islamistas. Según Al Qaeda, "mientras musulmanes inocentes sufran, los españoles no vivirán en paz."

Cartel anti-ETA. Manos limpias

La Comisión del Consejo de Europa contra el racismo y la intolerancia se manifestó (julio de 2003) "particularmente preocupada por la dimensión xenófoba y étnica de las acciones violentas perpetradas por la organización terrorista ETA."

Manifestación contra el terrorismo

En octubre de 2011, el cerco policial y la falta de apoyos sociales obligaron a ETA a anunciar el "cese definitivo de la actividad armada" sin condiciones. Sin embargo, el 53% de los españoles desconfiaba de la sinceridad del comunicado de los terroristas. Todas las fuerzas políticas de España exigen a ETA resarcir a sus víctimas, la entrega de las armas y su disolución.

> "Los bárbaros atentados del 11-M han sido obra, según los indicios hasta ahora disponibles, de una célula de Al-Qaeda, que probablemente ha tratado de forzar con ellos una retirada de Irak.
>
> El principal sospechoso detenido hasta el momento ha tenido relación con la célula española de al-Qaeda que presuntamente colaboró en la preparación de los atentados del 11-S. Estamos muy probablemente ante un 11-S europeo y ello obliga a que España y la UE hagan de la lucha contra la amenaza yihadista el objetivo central de su estrategia de seguridad."
>
> (En *Ante la matanza de Madrid*, de Juan Avilés. Real Instituto Elcano. N° 9. Abril 2004)

ETA

El paso de la dictadura al régimen de libertades se logró a pesar de la amenaza constante de ETA, grupo terrorista vasco extremadamente violento que incrementó sus asesinatos y sus ataques contra la democracia a medida que esta se afianzaba. ETA quiere lograr la independencia del País Vasco.

Así nació la banda terrorista

Bilbao, 31 de julio de 1959. Un grupo de estudiantes radicales disidentes del colectivo EKIN -nacido en 1952 para reaccionar contra la pasividad y el acomodo que en su opinión padecía el PNV- funda Euskadi Ta Askatasuna (Euskadi y Libertad). Es el nacimiento de ETA, una alternativa ideológica a los postulados del PNV que se apoya en cuatro pilares básicos: la defensa del euskera, el etnicismo (como fase superadora del racismo), el antiespañolismo y la independencia de los territorios que, según reivindican, pertenecen a Euskadi: Álava, Vizcaya, Guipúzcoa (en España), Lapurdi, Baja Navarra y Zuberoa (en Francia).

Su primera acción violenta se produce el 18 de julio de 1961: el intento fallido de descarrilamiento de un tren ocupado por voluntarios franquistas que se dirigían a San Sebastián para celebrar el Alzamiento.

En estos primeros años, la policía persigue a sus miembros, que se dedican a colocar pequeños artefactos sin apenas consecuencias, hacer pintadas de «Gora Euskadi» (Viva Euskadi) y colocar ikurriñas (la bandera vasca). Las bases de la organización se consolidan en mayo de 1962, en la celebración de su I Asamblea en el monasterio de Belloc (Bayona, Francia), donde se presenta como «Movimiento Revolucionario Vasco de Liberación Nacional». El grupo rechaza cualquier colaboración con partidos o asociaciones no nacionalistas vascas y apuesta por una fuerte campaña proselitista. Es aquí cuando se autodefinen como una «organización clandestina revolucionaria» que defiende la lucha armada como el medio de conseguir la independencia de Euskadi.

Extracto de www.el-mundo.es/eta/historia.html

Todas las víctimas de ETA

Consulte todas las víctimas de ETA organizadas a través de los distintos gobiernos de la historia de España. **Por Pablo Gutiérrez**

Total	Dictadura	Suárez	Calvo Sotelo	González	Aznar	Zapatero

Las cifras muestran el total de víctimas por periodo de los siguientes grupos sociales:

■ Civiles ■ Guardia Civil ■ Militares ■ Policía Nacional ■ Policía Local ■ Ertaintza ■ Jueces y abogados ■ Políticos

Total víctimas: 864

313	209	154
106	32	13
26	11	

Estudiantes contra el terrorismo

Manifestación en Madrid contra ETA

Manos limpias

Las fechas de cada periodo político son las siguientes:
Total: desde el 15-6-1975, primer atentado reconocido por ETA hasta el 1-1-2011. Periodo de dictadura: desde 15-6-1975 hasta 15-6-1977, fecha de la I Legislatura constituyente. Suárez: desde el 15-6-1977 hasta 25-2-1981. Calvo Sotelo: desde el 25-2-1981 hasta 28-10-1982. González: desde el 28-10-1982 hasta 3-3-1996. Aznar: desde el 3-3-1996 hasta 14-3-2004. Zapatero: desde el 14-3-2004 hasta 1-1-2011.

Al-Qaeda

Reconstrucción del tren del atentado

Osama Bin-Laden

Madrid 11-M

Al terrorismo de ETA se ha añadido el del integrismo islámico. El 11 de marzo de 2004 la ciudad de Madrid fue víctima de tres dramáticos atentados que causaron cerca de 200 víctimas mortales y unos 1.500 heridos. Las fuentes policiales señalaron, en su momento, al Grupo de Combate Islámico Marroquí como autor de dichos atentados. Este grupo, relacionado con Al-Qaeda, anunció que había atacado al "corazón de los cruzados", por la participación de España en la guerra de Irak.

A causa de estos atentados, las elecciones generales del 14 de marzo se celebraron en un clima de intensa emotividad.

Velas y lazos negros en la estación de Atocha

Manifestación en la estación de Atocha contra los atentados del 11-M

Foco sobre

El paro

Oficina de empleo

- El terrorismo ha pasado a los últimos lugares entre las preocupaciones de los españoles, desplazado por el paro, la economía y los políticos.
- El paro afecta sobre todo a las mujeres, a los jóvenes que buscan su primer empleo, a los trabajadores no cualificados y a los mayores de 50 años.
- El paro ha pasado del 8,5% de la población activa a comienzos del nuevo siglo a más del 20% de la población activa al final de la primera década.

Madrid	**ABC**	Año CI
Jueves 30		Número 32.442
septiembre de 2004		Precio: 1 euro

FUNDADO EN 1903 POR DON TORCUATO LUCA DE TENA

"Se prefiere el ocio al trabajo, si éste es duro o denigrante. No se puede criticar esta traslación a España de este fenómeno, que suele ser denominado "efecto Rottenberg", porque cada español debe reaccionar del modo que le resulta más cómodo, pero sí decir que esto no indica, precisamente, que vivamos en un país con fuertes tasas de desocupación, digan lo que digan las diversas estimaciones."

(En *La población activa y el paro*, de Juan Velarde Fuertes. Abc. 17-6-2001)

Cartel de *Los lunes al sol*, película que trata sobre el problema del desempleo

- Según la Comisión Europea, los problemas más graves del empleo en España son el paro estructural de larga duración, el alto índice de contratación temporal, la escasa disponibilidad de los trabajadores para cambiar de lugar de residencia y la gran diferencia de tasa de paro entre hombres y mujeres.

- **Hasta la crisis de 2008 se generaba empleo en España a un ritmo superior a la media comunitaria: 2,5% en 2001 frente al 1,2% de la UE.**
- **Se estima que muchos parados ejercen actividades remuneradas en la economía sumergida, por lo que la tasa de paro sería inferior a la oficial.**

	PARO EN MARZO DE 2004	PARO EN JULIO DE 2007	
	Total parados	Total parados	Tasa de paro (%)
Andalucía:	363.414	439.500	11,96
Aragón:	33.222	34.300	5,30
Asturias:	58.619	42.800	9,07
Baleares:	34.073	30.600	5,50
Canarias:	113.380	100.200	9,78
Cantabria:	23.827	17.300	6,34
Castilla–La Mancha:	83.216	71.000	7,84
Castilla y León:	105.478	83.700	7,28
Cataluña:	203.089	227.700	6,09
Comunidad Valenciana:	51.420	211.600	8,72
Extremadura:	66.076	57.100	12,15
Galicia:	157.032	98.000	7,57
Madrid:	203.824	202.400	6,25
Murcia:	36.707	45.000	6,57
Navarra:	17.270	16.100	5,26
País Vasco:	75.473	63.900	6,04
La Rioja:	8.039	7.600	4,94
Ceuta:	5.333	5.400	19,09
Melilla:	4.124	5.800	21,02
Total España:	1.743.706	1.760.000	

Foco sobre

La inmigración

- El número de extranjeros residentes en España en 2010 era de 5.651.000, el 12,3% de la población.
- España es el segundo país en número de inmigrantes en términos absolutos, solo superado por Alemania.
- Las naturalizaciones de extranjeros se han multiplicado por 10 en una década.
- El sector de la construcción, la hostelería y el servicio doméstico son las profesiones habituales de los inmigrantes.
- El 63% de los extranjeros mantienen lazos de amistad con españoles.
- Los medios de difusión refieren frecuentemente la llegada a las costas españolas de inmigrantes clandestinos, así como frecuentes naufragios.
- El 60% de los españoles considera que han llegado más inmigrantes de los que el país puede acoger.
- El 58,1% cree que el aumento de la delincuencia está vinculado a la inmigración ilegal.
- La población inmigrante registra un 27% de paro.
- A causa de la crisis, desde mediados de 2009 la llegada de inmigrantes, tanto legales como ilegales, se ha reducido a la mitad.

Madrid
Jueves 30
septiembre de 2004

ABC

FUNDADO EN 1903 POR DON TORCUATO LUCA DE TENA

Año CI
Número 32.442
Precio: 1 euro

"Más de 550 inmigrantes fueron detenidos ayer cuando intentaban alcanzar las costas de Tarifa, Fuerteventura y Granada. Se trata de la llegada masiva más importante desde el año 2000, sólo superada el 18 de agosto de 2001, cuando fueron interceptados un total de 567 irregulares. Los arrestados ayer en las ocho operaciones desarrolladas por la Guardia Civil elevan a 15.985 el número de "sin papeles" detenidos en lo que va de año, casi 2.500 más que el año anterior. La mayoría de los arrestos se han producido en el Estrecho, convertido de nuevo en ruta preferente de las mafias que ante el elevado coste del viaje a las Canarias han decidido retomar esta vía de entrada."

(En *La llegada de más de medio millar de "sin papeles" eleva a 16.000 los detenidos este año*, de Isabel Gallego. abc.es. 16-10-2003)

Foco sobre
Los nacionalismos

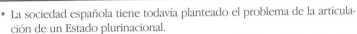

- La sociedad española tiene todavía planteado el problema de la articulación de un Estado plurinacional.
- Los nacionalistas de las llamadas "comunidades históricas", Cataluña, País Vasco y Galicia, aspiran a conseguir el máximo de autonomía política y administrativa y, en el caso del PNV y de Esquerra Republicana de Catalunya, la independencia del País Vasco y Catalunya, respectivamente.
- Los nacionalistas alegan derechos históricos, hechos diferenciales y agravios comparativos.
- La idea de nación se debilita, según el 60% de los universitarios. Valoran un 8,3 sobre 10 el concepto España, con 8 el de la respectiva comunidad autónoma y con 7,5 el de la Unión Europea. El 36,6% está de acuerdo con la actual distribución de competencias entre el Estado y las comunidades autónomas, un 29% se inclina por recuperar competencias en favor de aquel, y el 11,5% desearía mayor descentralización.

Bandera española junto a la catalana

- Los autonomistas catalanes, que tradicionalmente demandaban soberanía compartida y poderes de Estado para su gobierno autónomo, la Generalitat, últimamente organizan referendos no vinculantes y argumentan tesis soberanistas.
- En julio de 2008 el porcentaje de catalanes a favor de un Estado propio era del 16,1%, el 33,4% era partidario del federalismo. Según el Pulsómetro de la SER del 15 de noviembre de 2010, el porcentaje de independentistas se había elevado al 42%. El sondeo de la Generalitat de octubre de 2011 mostró que el 45,5% de los catalanes votaría afirmativamente en un hipotético referéndum por la independencia, y el 24,7% votaría negativamente.
- Según el Euskobarómetro de julio de 2003, el 53% de los vascos no mostraba ningún interés por conseguir la independencia, que era reclamada sólo por el 3%. En 2010, el 25% era partidario de la independencia, el 2% apoyaba a ETA y el 42% reconocía ser nacionalista.

"Pocas dudas se ofrecen de que el problema político más importante con que se ha enfrentado la vida política española en estos diez años ha sido la cuestión nacional."

(En *El futuro de la cuestión nacional*, de Andrés de Blas, El siglo. 481. Del 29 de octubre al 4 de noviembre de 2001)

Elecciones Parlamento Vasco 2005

Partido	Votos	% Votos	Escaños
*PNV / EA	463.873	38,6%	29
PSE-PSOE	272.429	22,6%	18
PP	208.795	17,3%	15
*PCTV	150.188	12,5%	9
EB / IU	64.931	5,4%	3
*ARALAR	28.001	2,3%	1

(Fuente: Gobierno Vasco.)

Elecciones Parlamento Catalán 2006

Partido	Votos	% Votos	Escaños
*CiU	928.511	31.52	48
PSC	789.767	26,81	37
*ERC	414.067	14,06	21
PP	313.479	10,64	14
ICV	281.474	9,56	12
C s	89.567	3,04	3

(Fuente: lavanguardia.es)

* Partidos Nacionalistas.

Foco sobre

La reforma de la Constitución, del Senado y de los Estatutos de Autonomía

- Desde diversas instancias se reclaman la reforma de la Constitución, de los Estatutos de Autonomía y del Senado. Se trata de adaptar a los nuevos tiempos y circunstancias el sistema autonómico y de convertir el Senado en una verdadera Cámara de representación territorial, función que, en opinión de la mayoría, no venía desempeñando.

Expansión·com

"Zapatero ofreció a todas las fuerzas políticas un consenso básico para afrontar "una reforma concreta y limitada de la Constitución" para abordar problemas concretos, destacando como prioridad la reforma del Senado. El líder socialista también dejó claro que apoyará las propuestas de reforma de los estatutos de autonomía."

(En *Opinión. Zapatero, de la teoría a la práctica*. Expansión. 16-4-2004)

interviú

"Se ha hablado tantas veces de una auténtica cámara de representación territorial que ya cansa, se ha planteado en tan reiteradas ocasiones la reforma del Senado que ya resulta poco creíble y se han abordado tantos debates sobre el estado de las autonomías que apenas se entrevé su verdadera y rotunda utilidad."

(En *Una Cámara desdibujada*, de Antonio San José. Interviú. N°. 1.332. Noviembre de 2001)

Foco sobre

La cuestión lingüística

- En las Comunidades Autónomas poseedoras de lenguas vernáculas se está tratando de poner fin a la situación de privilegio del español, lo que de hecho significa el retroceso de esta lengua a favor de aquellas y, probablemente, el comienzo del fin del bilingüismo tradicional.
  Problemas relacionados con las lenguas están también planteados en otras comunidades: en Valencia ha existido tradicionalmente un debate entre quienes consideran la lengua vernácula una variante del catalán y quienes defienden su especificidad; en Asturias se reivindica el carácter de lengua del bable, el habla regional, y se demanda su normalización y oficialización; en Aragón se aspira a institucionalizar la cooficialidad del catalán, en las zonas donde este se habla, junto con el castellano; y por todas partes se ensalzan y defienden los localismos lingüísticos.

EL ADELANTADO EL ADELANTADO

"Me resisto a privilegiar con el nombre de español a un idioma, el castellano, puesto que hay otros que tienen derecho legítimo a ser considerados también españoles. Igual que muchos hispanoamericanos prefieren utilizar el término castellano porque no sugiere ninguna dependencia respecto de la antigua metrópoli, muchos catalanes, vascos, valencianos, mallorquines o gallegos prefieren usar el mismo vocablo para reivindicar la cultura propia y soportar la presión histórica de la lengua castellana.
Y ésta es una postura respetable. El castellano es la lengua oficial del Estado, y común de las gentes y los pueblos que lo integran, pero eso no le da derecho a ser titular de una entidad plurilingüística."

(En ¿Castellano o español?, de Enrique Jesús Pérez Sastre. El Adelantado de Segovia. 7-11-2001)

Una de las lenguas más importantes y ricas del mundo, el español, está siendo discriminada y, según qué momentos, politizada. En el día a día es atacada, aunque esto resulte sorprendente. Ante el fenómeno de la mundialización, solamente sobrevivirán las lenguas fuertes, habladas por millones de personas, que tengan una unidad consistente, uso diplomático y presencia frecuente en foros internacionales. Y esto el idioma español lo cumple sobradamente en cuanto se refiere a los primeros condicionantes, pero hay que seguir luchando para que aumente su importancia en estos últimos. Por eso, hay que conocer, para contrarrestarlos, cuáles son los obstáculos actuales que frenan, de algún modo, el desarrollo del español, dentro y fuera de nuestras fronteras.

(De "Del idioma español y su futuro", de Antonio Lamela. Editorial Espasa Calpe, S. A. Madrid. 2008)

Foco sobre

La reforma de la Justicia

> • La Justicia, junto con los políticos y con los partidos políticos, ocupa los últimos puestos en la valoración de los ciudadanos. El Gobierno del PP y el PSOE suscribieron un pacto (mayo de 2001) sobre su reforma y modernización, que se llevará a la práctica durante dos legislaturas.

- El Consejo de Europa señala la lentitud de la Justicia española. El número de casos resueltos es bajo en relación con los incoados.
- El 64% de los españoles piensa que la Justicia está politizada, frente al 28% que considera que está poco o nada politizada. El 73% cree que se siguen criterios políticos para cubrir cargos en los tribunales.
- Los magistrados del Tribunal Constitucional y los vocales del Consejo General del Poder Judicial son elegidos por la mayoría cualificada del Congreso y del Senado, razón por la que su elección está controlada por los grupos políticos mayoritarios.
- Según la encuesta de Sigma Dos para el diario *El Mundo* (2008), el 80% cree que debería aplicarse la pena de cadena perpetua para los delitos más graves, y deberían aumentarse las penas para los delitos cometidos por menores.
- España es uno de los miembros del Consejo de Europa con mayor número de abogados por 100.000 habitantes (266,5).

Ministerio de Justicia

> "Se persigue que la Justicia actúe con rapidez, eficacia y calidad, con métodos más modernos y procedimientos menos complicados. Que cumpla satisfactoriamente su función constitucional de garantizar en tiempo razonable los derechos de los ciudadanos y de proporcionar seguridad jurídica, al actuar con pautas de comportamiento y decisión previsibles."
>
> (Del *Pacto de Estado para la Reforma de la Justicia*)

Foco sobre

La delincuencia

- La tasa de criminalidad violenta en España es inferior a la media de la UE.
- Los índices de delincuencia descienden desde hace 20 años, pese a ello hay un alto porcentaje de presos: 166 por cada 100.000 habitantes. El 17% goza de un régimen de semilibertad, y el 9% obtienen la libertad condicional.
- Algo más del 50% de los detenidos son extranjeros.
- El Senado aprobó en mayo de 2010 la modificación de unos 150 artículos, a fin de adecuar el derecho español a las obligaciones internacionales. La reforma incluye nuevos delitos como la piratería, la corrupción entre particulares y el tráfico de órganos.
- El 80% de los españoles considera que la comisión de delitos guarda relación con factores de tipo económico.

Victimas de delitos por sexo según tipo de delito

	Varones	Mujeres
TOTAL VÍCTIMAS	81.080	107.702
Contra el patrimonio	46.869	39.713
Contra las personas	19.200	49.662
Contra la libertad e indemnidad sexual	995	8.728
Contra la libertad	1.815	8.855
Contra el orden público	12.201	744

(Fuente: Ministerio del Interior. Anuario Estadístico 2005)

La drogadicción

- El número de consumidores de alcohol se ha incrementado en un 15% entre 2000 y 2010.
- Casi dos millones de españoles son alcohólicos.
- El 69% de los jóvenes comienza a beber entre los 13 y los 16 años.
- El alcohol destilado y las bebidas fermentadas son las más consumidas. Los varones toman más destilados y las mujeres más bebidas de graduación media.
- El 40% de las muertes en accidente de tráfico son causadas por consumo excesivo de alcohol
- El 48% de la población se declara fumador.
- El tabaco y el alcohol son responsables del 8% de las muertes en España; las drogas ilegales son responsables del 0,4% de las muertes.
- El 1 de enero de 2011 entró en vigor la ley antitabaco, que prohíbe fumar en los espacios cerrados compartidos.
- España figura entre los mayores consumidores de drogas de Europa, de cocaína sobre todo, que es consumida por un 3,1% de la población.
- Descienden el consumo de cannabis, cocaína, éxtasis, inhalables volátiles, anfetaminas y alucinógenos.
- Las llamadas drogas de violación, que inhiben la voluntad, suelen estar presentes en el 15% de las agresiones sexuales.
- Adicción frecuente es la ludopatía, que afecta a casi 1.700.000 personas, de las cuales el 2,4% son adolescentes.

Foco sobre

La violencia doméstica

> • Se incrementa el número de mujeres víctimas de su pareja. El Gobierno intenta frenar esta lacra con medidas preventivas que agilizan las denuncias y endurecen las penas.

Hacia una Ley Integral

DESDE 1991, LAS ASOCIACIONES DE MUJERES vienen pidiendo una ley integral contra la violencia de sexo, una herramienta diseñada para combatir el problema y facilitar la ayuda a las víctimas, pero también para erradicarlo. Por eso, el proyecto de ley, aprobado en el Consejo de Ministros el 25 de junio de 2004, contempla tanto medidas asistenciales como de prevención, con especial atención a las políticas educativas que insistan en la igualdad y el respeto de los derechos de la mujer. Su aspecto más polémico: la discriminación positiva que se establece por penalizar el maltrato doméstico solo cuando el agresor es un hombre y la víctima, una mujer.

Mujeres muertas por violencia de género a manos de su pareja o ex pareja

	1999	2000	2001	2002	2003	2004	2005	2006
TOTAL	54	63	50	54	71	72	60	68
Hasta 20 años	4	3	0	4	1	9	6	2
De 21 a 30 años	9	15	18	16	16	13	14	15
De 31 a 40 años	17	26	18	11	27	17	15	27
De 41 a 50 años	6	8	5	6	15	9	10	9
De 51 a 64 años	3	7	5	7	4	11	4	5
De 65 y más años	6	4	4	9	7	11	10	10
Desconocida	9	0	0	1	1	2	1	0

Fuente: Instituto de la Mujer.

En los últimos años son frecuentes las noticias en la prensa sobre acoso sexual y laboral y sobre la violencia contra las mujeres en el entorno familiar.

• España es el quinto país europeo por la frecuencia de delitos relacionados con la violencia doméstica.

• Según un estudio promovido por el sindicato CC.OO, el 18% de las trabajadoras ha sufrido acoso sexual al menos una vez en su vida, sobre todo las separadas, las divorciadas y las de empleo precario, pero solo el 3% lo denuncia.

Foco sobre

El futuro de las pensiones

- Número de pensiones (jubilación, viudedad, invalidez, etc.): 8.690.240.
- Número de pensiones de jubilación: 5,1 millones.
- Importe medio de pensión de jubilación (marzo 2010): 878, 64 euros mensuales; pensión media de viudedad: 572,53 euros mensuales; pensión media de incapacidad permanente: 851,33 euros mensuales; pensión media de orfandad: 350,83 euros mensuales
- En España, la pensión sobre el sueldo medio neto representa el 84%, frente al 71,8% de la OCDE.
- La pensión de los trabajadores autónomos es un 40% inferior a las de los trabajadores por cuenta ajena.
- El envejecimiento progresivo de la población producirá un desequilibrio entre el número de trabajadores y el de pensionistas: en 2010 había 2,22 afiliados ocupados por cada pensionista; en 2049 habrá un pensionista por cada 1,75 personas trabajando.
- En 2060 los mayores de 65 años representarán el 59% sobre el total de activos.
- El 25% de quienes se jubilan han estado afiliados a la Seguridad Social durante 43-44 años.
- El Pacto de Toledo pretende ampliar el periodo de cómputo de la pensión desde los últimos 15 años actuales a 20 años; el Gobierno cree que la edad de jubilación debe pasar de los 65 a los 67, lo que encuentra fuerte oposición popular.
- La reforma de las pensiones estará completada en 2023. El ahorro será del 3% del PIB en 2040.
- Los ciudadanos se manifiestan muy sensibles ante la cuestión de las pensiones.

Pensionistas en una celebración

"Dentro de algo más de cuarenta años –según datos de la Organización para la Cooperación y el Desarrollo Económico (OCDE)- España será el tercer país más viejo –dentro de dicha organización- sólo por detrás de Japón y Corea, según el Informe "Panorama de Estadísticas 2007". La población envejece a gran velocidad y se calcula que para el año 2050 nuestro país tenga un 35% de población mayor de 65 años. De ello se deriva un importante desequilibrio, ya que según esa misma fuente, un 90,5% de población será inactiva –si a esos mayores sumamos los menores de quince años. No hay que entender mucho de números para ver que a priori y si no se toman medidas, nos hallamos ante un gran problema.

(De España se hace mayor. revistafusion.com. 21-1-08)
de Antoni Fuentes ©, el Periódico, Ediciones Primera Plana, S.A. 17-10-2003)

Foco sobre
El
medio ambiente

- El 18,2% del territorio español corre grave riesgo de erosión y desertificación.
- Entre las causas del fenómeno destacan el cambio climático, la deforestación, la irregularidad del régimen de lluvias, los vertidos industriales y las emisiones de gases nocivos, la extensión del urbanismo y el aumento de los desechos urbanos.
- Según datos del Programa de Acción Nacional contra la Desertización (PAND), 14 provincias españolas tienen erosionado más del 50% de su territorio, 7 el 80% y 2, Las Palmas y Alicante, el 100%. Las Comunidades Autónomas más afectadas por este fenómeno son Murcia, Comunidad Valenciana, Canarias y Andalucía.
- Según la sexta edición del Perfil Ambiental de España. 2009, la situación medioambiental de España es satisfactoria en su conjunto.
- En los últimos años ha desaparecido el 60% de los humedales españoles.
- España es el segundo país europeo en superficie forestal -55% del suelo-, pese a lo cual hay déficits de árboles.

20minutos.es

"El último estudio de ecologistas en acción señala que la mitad de los españoles inhala sustancias tóxicas. En 2007 hubo 16.000 muertes prematuras.

La contaminación de la atmósfera ya nos está pasando factura. Uno de cada dos españoles (en torno al 54%) respira aire contaminado y su efecto, a largo plazo, puede reducir la esperanza de vida de los españoles de tres meses a dos años, según un estudio publicado por la ONG *Ecologistas en Acción*.

El año pasado la contaminación del aire se cobró 16.000 muertes prematuras en España (370.000) muertes en toda Europa); más de cuatro veces las producidas en accidentes de tráfico, y se sitúa en la segunda causa de mortandad, por detrás del tabaquismo (45.000 personas murieron en España en 2007 por culpa del tabaco).

El 80% de la contaminación atmosférica en España es consecuencia del tráfico. Los siguientes focos de contaminación están ocupados por la industria y las calefacciones, así lo señala el informe anual de *Ecologistas en Acción*, "La calidad del aire en el Estado español 2007."

(De Respirar aire contaminado acorta la vida hasta dos años, de Juanma López-Guillén G. 20minutos, 9-7-08)

Manifestación de niños contra el Prestige

El desastre del Prestige

El Rey con los voluntarios

- **España, país con déficit de arbolado, sufre, además, durante los meses de verano, incendios forestales, no siempre originados por causas naturales o fortuitas.**
- **España sufrió el mayor desastre ecológico de su historia, especialmente Galicia, tras el hundimiento frente a sus costas, el 13 de noviembre de 2002, del petrolero *Prestige*, accidente que afectó directamente a una de las zonas pesqueras más ricas del país.**

Foco sobre

La conciencia ecológica

> • El 87% de los españoles se manifiesta preocupado por las cuestiones medioambientales y ecológicas, lo que no suele reflejarse en los comportamientos sociales. Por ejemplo, no es hábito muy extendido el ahorro de agua y energético.

Cartel informativo

Contenedores para recogida de pilas

El consumo de electricidad en los hogares españoles es un 30% superior a la media comunitaria.

La superficie forestal ha aumentado en un 30% en los últimos diez años.

La Estrategia de Desarrollo Sostenible, hecha pública por el Gobierno en diciembre de 2001, se propuso mantener el desarrollo en armonía con el medio ambiente. Entre sus propuestas destacan la instalación en diez años de tejados solares en tres millones de hogares, la plantación en siete años de 320 millones de árboles y la reutilización de 1.200 millones de metros cúbicos de agua al año.

Foco sobre
El agua

- Gran parte del territorio español padece un déficit permanente de agua; sin embargo, el consumo es muy alto.
- A fin de paliar las carencias de algunas regiones se ha llevado a cabo una política de trasvases.
- Los trasvases son rechazados por los ecologistas, por algunos medios científicos y por las Comunidades Autónomas que se consideran perjudicadas por la pérdida de parte de sus recursos.
- El consumo medio de agua es de 154 litros por habitante y día.

"La propuesta del Plan Hidrológico Nacional surge con el fin de dar respuesta a los problemas de déficit hídrico detectados en el Libro Blanco del Agua en España, publicado en 1998 por el Ministerio de Medio Ambiente. En este documento se hace una estimación sobre la existencia de excedentes susceptibles de ser trasvasados en determinadas cuencas para corregir los desequilibrios hídricos existentes."

(En *El futuro del agua, el primer gran debate del siglo XXI. Plan Hidrológico: Aragón frente a Levante*. El siglo. 460. Del 7 al 13 de mayo de 2001)

Manifestación contra el Plan Hidrológico

EL●MUNDO

La otra batalla del Ebro

Las aguas del Plan Hidrológico Nacional fluyen turbulentas. El plan diseñado para trasvasar agua, construir embalses, reforestar cuencas, mejorar los regadíos y optimizar la gestión, ha desatado en los útlimos años la polémica por su medida más impopular: el trasvase de 1.050 hectómetros cúbicos anuales del Ebro a las cuencas mediterráneas. El Gobierno del PP se enfrentó a partidos políticos, ecologistas e incluso a las autonomías, en una batalla tan encarnizada como la que se libró en tierras del Ebro durante la Guerra Civil Española. Ahora, el nuevo Gobierno de Zapatero está dispuesto a paralizarlo.

(*El mundo*. Junio 2004)

Foco sobre

El ruido y los horarios

- Según un estudio realizado (2010) por GAES Centros Auditivos, el 87% de los españoles considera que vive en un país ruidoso. El 28% afirma que el ruido influye negativamente en su estado de ánimo.
- Según la OMS, el 71% de los españoles soporta niveles de ruido superiores a los 65 decibelios. Este problema afectaría a unos 22 millones de hogares y al 27% de los habitantes de 19 grandes urbes españolas.
- Según el INE, las comunidades autónomas más ruidosas son Andalucía, Valencia y las Islas Baleares. Madrid es la más ruidosa de todas las ciudades españolas.
- Como fuente principal del ruido se señalan el tráfico rodado, los aeropuertos, las obras, los vecinos, los derivados del ocio callejero y los ladridos de los perros

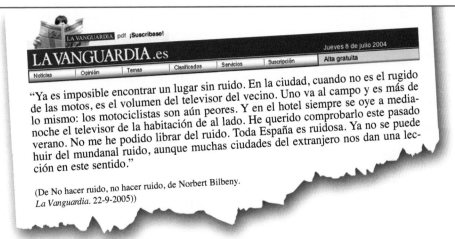

"Ya es imposible encontrar un lugar sin ruido. En la ciudad, cuando no es el rugido de las motos, es el volumen del televisor del vecino. Uno va al campo y es más de lo mismo: los motociclistas son aún peores. Y en el hotel siempre se oye a medianoche el televisor de la habitación de al lado. He querido comprobarlo este pasado verano. No me he podido librar del ruido. Toda España es ruidosa. Ya no se puede huir del mundanal ruido, aunque muchas ciudades del extranjero nos dan una lección en este sentido."

(De No hacer ruido, no hacer ruido, de Norbert Bilbeny.
La Vanguardia. 22-9-2005))

- Los horarios españoles de las comidas no coinciden con los del resto de los países de la UE.
- La hora del almuerzo, en general, es entre las 14 y las 15 horas, incluso más tarde, y alrededor de las 22 horas la de la cena.
- Existe, además, una gran disparidad entre los horarios laborales y los escolares, hecho que impide una mayor convivencia entre padres e hijos. Muchos padres llegan a casa por la noche cuando sus hijos pequeños ya están en la cama.
- Los españoles trabajan el mismo número de horas, incluso más, que los europeos y, como consecuencia de los horarios de las comidas, duermen menos que estos. En el caso de los niños, una hora diaria menos que los europeos.
- La singularidad de los horarios españoles se ha explicado por causas climáticas (muchas horas de sol, benignidad del clima) y por la afición natural de los españoles a salir y convivir en la calle con amigos y conocidos.

"Los horarios españoles son malos para la salud. Reducen la productividad y aumentan los accidentes y el estrés, y sus grandes 'víctimas cotidianas' son las mujeres y niños.

"Las mujeres, sobre todo las madres, y los niños son los grandes perjudicados" de los horarios españoles, una "singularidad en Europa" que tiene un alto coste personal, social y económico de "menos productividad, más accidentes, más estrés..." La denuncia la hizo hoy Ignacio Buqueras, presidente de la Comisión Nacional para la Racionalización de los Horarios Españoles (CNRHE), que espera firmar en el primer semestre de 2010, durante la presidencia hispana de la Unión Europea, "un gran pacto nacional para un mejor uso del tiempo y unos horarios más europeos" que favorezcan la conciliación de la vida personal y laboral, la productividad, el rendimiento escolar, los hábitos saludables y la igualdad."

(En *Hoy.es*. 8-10-2009)

Bibliografía

- *Pulso de España 2010. Un informe sociológico*. José Luis Toharía (Coord.) Biblioteca Nueva. Fundación José Ortega y Gasset-Gregorio Marañón. Madrid. 2011.

- *Informe Anual 2011 sobre el racismo en el Estado Español*. Federación de Asociaciones de SOS Racismo del Estado Español.

- *Los valores de la sociedad española y su relación con las drogas*. Colección de Estudios Sociales. Núm. 2. Fundación La Caixa.

- *Evolución del racismo y la xenofobia en España. Informe 2010*. María Ángeles D'Ancona-Miguel S. Valles Martínez. Gobierno de España. Ministerio de Trabajo e Inmigración.

- *La imagen de España en el exterior. Estado de la cuestión*, de Javier Noya. Real Instituto Elcano de Estudios Internacionales y Estratégicos. Madrid. 2002.

- *La imagen de España en América Latina. Resultados del Latinobarómetro 2003*, de Javier Noya. Real Instituto Elcano de Estudios Internacionales y Estratégicos. Madrid. 2004.

- *La generación de la democracia. Nuevo pensamiento filosófico español*, de J. Ruiz de Samaniego y J. M. Ramos (eds). Tecnos- Alianza Editorial. Madrid. 2002.

- *La nueva familia española*, de Inés Alberdi. Taurus. Madrid. 1999.

- *El lenguaje político español*, de E. A. Núñez Cabezas y S. Guerrero Salazar. Cátedra. Madrid. 2002.

- Informes CIS.

- Informes INE.

- Informes de la Oficina Central de Estadística de la Iglesia.

- Informes de El Observatorio de la Sostenibilidad en España (OSE)

- Anuario SGAE 2010.

- "Retrato social de los españoles" realizado por la Fundación BBVA.

- Eurobarometer 68.

- Encuesta Fecundidad y Valores en la España del siglo XXI.

- Barómetro Global de la Corrupción 2004, publicado por la ONG Transparencia Internacional

- Barómetros de Price Waterhouse.

- Encuestas e informes de la Oficina Económica de Moncloa, Sindicato FETE-UGT, Asociación de Grandes Empresas de Trabajo Temporal, Centro de Investigación Biomédica en Red sobre Obesidad y Nutrición, Confederación Estatal de Médicos y Organización Médica Colegial, Funcas, Fundación Adecco, Foro Económico Mundial, Centro Reina Sofía sobre la violencia, Fundación Secretariado Gitano, Comisión Nacional para la Prevención del Tabaquismo, Fundación de Ayuda contra la Drogadicción, Greenpeace, Metroscopia, Observatorio Europeo de las Drogas y las Toxicomanías (OEDT), Departamento de Estadística de la Conferencia Episcopal Española, Fundación Bertelsmann, Federación de Gremios de Editores (FGEE).